FELICIDADE

EDUARDO GIANNETTI

FELICIDADE

Diálogos sobre o bem-estar na civilização

COMPANHIA DAS LETRAS

Capa
Ettore Bottini

Preparação
Tania Mano Maeta

Índice onomástico
Luciano Marchiori

Revisão
Ana Maria Barbosa
Isabel Jorge Cury

Dados Internacionais de Catalogação na Publicação (CIP)
(Câmara Brasileira do Livro, SP, Brasil)

Giannetti, Eduardo, 1957
Felicidade : diálogos sobre o bem-estar na civilização / Eduardo Giannetti. — São Paulo : Companhia das Letras, 2002.

Bibliografia.
ISBN 85-359-0297-X

1. Ensaios brasileiros 2. Filosofia I. Título.

02-5693 CDD-199.81

Índice para catálogo sistemático:
1. Ensaios filosóficos brasileiros 199.81

2002

EDITORA SCHWARCZ LTDA.
Rua Bandeira Paulista, 702, cj. 32
04532-002 — São Paulo — SP
Telefone: (11) 3167-0801
Fax: (11) 3167-0814
www.companhiadasletras.com.br

SUMÁRIO

Cada ser humano é uma pequena sociedade.
Novalis

PRÓLOGO

A rotina entorpece. Vez por outra, entretanto, desabam sobre o mundo acontecimentos que sacodem e alteram o nosso sentido de prioridades: preocupações habituais murcham, possibilidades relegadas ganham viço. Novos ângulos e desafios se oferecem. O choque do inesperado subverte, ainda que por tempo limitado, a constelação dos valores que nos governam — os magos que detêm em suas mãos os fios secretos das escolhas e do enredo de nossas vidas.

Na primavera de 2001, poucos dias após os espantosos ataques terroristas contra os Estados Unidos, um grupo de amigos que se conheciam e conviviam de perto desde os bancos e passeatas estudantis resolveu que era tempo de refazer os seus vínculos de amizade em novas bases. Voltariam a ler e a estudar juntos, e passariam a se reunir com regularidade para debater questões de interesse comum. A idéia era resgatar de algum modo a abandonada "arte da conversação" — o simpósio platônico, o jardim epicurista, o *salon* setecentista. Em meio a tantas atribulações de profissão, família, contas a pagar e pura fricção urbana, eles fizeram uma escolha e apostaram nela. Queriam dedicar mais tempo e mais cuidado a uma das atividades que mais amavam na vida:— conversar filosofia.

Todo começo é frágil. As primeiras reuniões do grupo foram acesas e animadas, mas deixaram a desejar. Embalados pelo vinho e pelo ardor da novidade, eles se perdiam madrugada adentro num matagal de idéias encruadas, digressões espiraladas, becos e trilhas falsas. Alguma coisa, é claro, saía, mas o resultado invariavelmente desapontava. Ao fim dos encontros, no implacável "dia seguinte", tudo o que restava pelos cantos da memória eram fragmentos desconexos, insights duvidosos, estilhaços de brilho efêmero. Copos, bitucas, farelos. Calor de sobra, parca luz.

A grande deficiência, os amigos constataram, era a completa falta de estrutura dos colóquios — a ausência de um arcabouço compartilhado e de um foco mais definido que pudessem balizar o andamento da conversação e conferir ao encontro um mínimo de coerência, organicidade e direção. O desafio era encontrar o ponto certo entre dois extremos indesejáveis: o rígido formalismo do seminário acadêmico (pois disto, afinal, eles já andavam um tanto fartos) e o desregramento anárquico da conversa de botequim.

As qualidades de uma boa conversa deveriam ser a polidez sem fingimento, a franqueza sem rispidez, a erudição sem pedantismo, o rigor sem aridez e, sobretudo, a disposição sincera de cooperar na busca do saber. Afinal, eles se perguntaram, o que os impedia de, sem perder a leveza e o bom humor, perseguir com afinco a verdade? O sério não é sinônimo de soturno, assim como o profundo não o é de obscuro. *La gaya scienza.* Se a busca do saber não precisa ser sisuda, a alegria da convivência não precisa ser frívola.

As soluções foram surgindo aos poucos. Uma primeira medida, aceita por todos, foi delimitar claramente a duração de cada encontro. Começo, meio e fim: nada de falar até cair. Outra medida — maioria apenas — foi banir o consumo de álcool até o término da sessão. A "lei seca" traía a etimologia do termo *simpósio* (derivado do grego *sumpotes*: "companheiro de bebida"), mas ajudava a preservar a sobriedade dos debates. A decisão mais importante do grupo, no entanto, foi o compromisso de investir generosamente na preparação de cada encontro. Como aproveitar melhor o tempo que passariam juntos? O fracasso das primeiras tentativas deixara uma lição bem clara: a qualidade da conversa dependia de um trabalho prévio de estudo e elaboração. Todos precisavam cooperar. Aí residia o cerne do empenho que eles conjuntamente assumiram visando apurar a arte da conversação.

Tratava-se não só de fixar uma temática de interesse comum, ou seja, alguma preocupação ampla e compartilhada que permitisse mobilizar a ótica e a bagagem próprias de cada membro do grupo, mas também de definir uma pauta prévia e, se possível, uma pergunta ou questão bem definida que servisse de norte e fio condutor das discussões. A espontaneidade e a abertura do impromptu nos diálogos, ninguém discordava, tinham de ser preservadas; mas a qualidade dos encontros, a experiência mostrara a eles, dependia de uma boa dose de investimento e trabalho preparatórios. O suor teria que ser a enzima da inspiração. Como no jazz, a improvisação não prescindia do treino e do ensaio.

Na prática, isso significou a adoção de alguns procedimentos simples. Uma vez concluída a discussão preliminar sobre a temática geral dos encontros, o grupo decidiu que, para cada sessão, haveria um coordenador responsável. A ele caberia elaborar um ensaio curto (cinco ou seis páginas) que seria previamente distribuído ao restante do grupo e que teria como função servir de "aperitivo", ou seja, preparar o terreno, aguçar o apetite e lançar a pergunta central a ser debatida nos encontros.

Os ensaios abordariam o tema geral dos colóquios — a relação entre civilização e felicidade —, mas sempre a partir de uma perspectiva própria, refletindo a bagagem particular e a órbita de preocupações do autor. Além do enquadramento introdutório e de uma breve justificativa da questão proposta, o *texto de abertura* conteria também uma bibliografia sumaríssima, selecionada a dedo, e que poderia servir de apoio e pano de fundo aos debates. Finalmente, caberia ao coordenador do encontro a tarefa de fazer um registro gravado e a posterior transcrição dos trabalhos para distribuição, leitura e comentários dos demais.

Definidos os termos e as regras do jogo, teve início a nova rodada de reuniões. O intervalo maior entre as sessões (mensais) deu margem a um melhor preparo dos temas. Um impulso inesperado veio nas asas da internet. O uso do correio eletrônico permitiu que os diálogos de viva voz prosseguissem e acabassem adquirindo uma espécie de vida própria no mundo paralelo do ciberespaço. Graças a essa facilidade, foi possível para os participantes dos diálogos aprimorar a qualidade de suas intervenções e, em diversos casos, acrescentar referências e citações que pudessem enriquecer as falas originais. A única restrição ao processo de contínua revisão dos textos foi a de não mexer na estrutura dos diálogos. As modificações eram bem-vindas, mas desde que respeitassem o conteúdo básico e a seqüência original das falas tal como elas se sucederam no calor da conversa. Uma vez posta em movimento, a bola de cada encontro seguiu rolando muito além do tempo-espaço regulamentar.

O material reproduzido a seguir neste volume, gentilmente cedido à editora do livro por um dos membros do grupo que preferiu permanecer anônimo, é uma versão revista e editada, mas certamente longe de definitiva, dos quatro textos de abertura e dos diálogos que eles motivaram.

DRAMATIS PERSONÆ

LEILA: estudiosa de ética clássica, militante do movimento ecológico e mãe de três filhos; professora universitária e jornalista freelance.

OTTO: um economista liberal, bem-sucedido no mercado financeiro e portador de visíveis inclinações positivistas; fanático por golfe.

ALEX: filósofo analítico, ex-marxista e amante dos paradoxos, aporias e quebra-cabeças do pensamento racional; ganha a vida como roteirista de documentários.

MELO: um erudito historiador de idéias que leu em demasia e encontra dificuldade em acreditar no que quer que seja; atualmente desempregado.

PRIMEIRO ENCONTRO

A bifurcação pós-iluminista*

Quais as relações entre o processo civilizatório e a felicidade humana? Os benefícios da civilização são tangíveis e passíveis de mensuração. Um conjunto expressivo de indicadores biomédicos, sociais e econômicos atesta os ganhos objetivos em termos de longevidade, saúde, escolarização, acesso a bens de consumo e tantos outros feitos derivados do progresso científico e do aumento da produtividade. Mas quais têm sido os efeitos de todas essas brilhantes conquistas no tocante à felicidade, ou seja, tendo em vista a nossa satisfação em viver e o grau de realização que esperamos e alcançamos em nossas vidas? Até que ponto a civilização moderna tem promovido ou

(*) Ao distribuir antecipadamente o ensaio que preparou para este primeiro encontro, Melo sugeriu que fossem lidos, na medida do possível, os seguintes textos de apoio: J. B. Bury, *The idea of progress*, capítulos 10-13; John Passmore, *The perfectibility of man*, capítulos 8-11, e Isaiah Berlin, "Historical inevitability". Os detalhes bibliográficos das leituras de apoio de cada encontro e as fontes das citações que aparecem nos textos de abertura e nos diálogos podem ser encontrados nas notas e na bibliografia ao final do livro (pp. 185-222).

dificultado a busca da felicidade? O que vem revelando o programa de pesquisa empírica sobre as relações entre indicadores objetivos e subjetivos de bem-estar? Existiriam custos ocultos embutidos no processo civilizatório? E se inventassem uma "pílula da felicidade instantânea", estaria resolvido o problema?

As questões centrais aí estão. Mas antes de abordarmos diretamente os grandes temas que elegemos para nortear os nossos debates, o que sem dúvida faremos nos próximos encontros, imaginei que não seria má idéia se abríssemos os nossos colóquios com um olhar retrospectivo. Creio que um exame, ainda que ultra-sinóptico, da evolução das idéias sobre a relação entre civilização e felicidade constitui uma preliminar necessária para um ataque frontal e profícuo do problema. O exercício, espero, renderá frutos. Ele poderá nos ajudar a clarear os horizontes, armar o cenário e situar historicamente diversos pontos que deverão aflorar em nossos debates.

Proponho, portanto, que voltemos um pouco no tempo e nos perguntemos como era o amanhã de ontem, ou seja, como se pensou sobre o futuro da felicidade no passado. Mais especificamente: quais eram, em grandes linhas, as expectativas e as visões de futuro das gerações que nos precederam e em que medida elas se revelaram justificadas pelo que veio depois? Se é verdade que "a tradição de todas as gerações mortas oprime como um pesadelo o cérebro dos vivos", então a história das idéias pode ter um papel profilático e emancipador do pensamento em formação. Estudar o passado é uma condição necessária para quem almeja — se for o caso — libertar-se dele. Afinal, como também já se disse, "é difícil saber o que torna alguém mais retrógrado — não conhecer nada exceto o passado ou nada exceto o presente".

Nenhuma época do pensamento é homogênea, e toda comparação entre épocas distintas é temerária. Na história das idéias, os rótulos fazem as vezes de muletas e são raras as proposições gerais que não se desfazem em exceções. É necessário, no entanto, generalizar e comparar; abdicar de fazê-lo equivaleria a abrir mão da possibilidade de uma perspectiva histórica.

Felizmente, a generalização de amplo alcance que nos servirá de ponto de partida está entre as mais robustas de que a história das idéias é capaz. Ei-la: o grande divisor de águas no tocante à evolução da noção de progresso civilizatório e do seu impacto sobre a felicidade humana foi o iluminismo europeu do século XVIII — a "era da razão" baseada na fé sobre o poder da própria razão. Exceções notáveis e precursores solitários — quem poderia negar? — existem; mas pensadores desgarrados ou extemporâneos, assim como a proverbial andorinha, não fazem um clima de opinião.

A meteorologia usa o barômetro para medir a pressão da atmosfera e prever as mudanças do clima. Se a história das idéias possuísse um instrumento análogo, capaz de fazer leituras barométricas dos climas de opinião em determinados períodos e de registrar as variações de expectativa em relação ao futuro em diferentes épocas, então haveria pouca margem para dúvida de que o século XVIII deslocaria o ponteiro da confiança no progresso e no aumento da felicidade humana ao longo do tempo até o ponto mais extremo de que se tem notícia nos anais da história intelectual.

Como apontam os melhores especialistas no assunto, o conceito iluminista de progresso — e tudo o que ele implicava em termos de otimismo quanto ao futuro terreno da espécie humana — assinala uma clara ruptura em relação às idéias dominantes no mundo antigo, medieval e renascentista. Na aurora do pensamento moderno, sob o efeito inebriante da "tripla revolução" (científica, industrial e francesa), a crença no progresso foi aos céus.

A equação fundamental do iluminismo europeu pressupunha a existência de uma espécie de harmonia preestabelecida entre o progresso da civilização e o aumento da felicidade. A resultante do processo, ou seja, a construção gradativa de um mundo como nunca se vira na história desde a expulsão do primeiro casal do paraíso era o efeito da combinação de vetores de mudança que não só corriam juntos mas que se alimentavam e se reforçavam mutuamente. Eram eles:

- o avanço do saber científico;
- o domínio crescente da natureza pela tecnologia;
- o aumento exponencial da produtividade e da riqueza material;
- a emancipação das mentes após séculos de opressão religiosa, superstição e servilismo;
- a transformação das instituições políticas em bases racionais, e
- o aprimoramento intelectual e moral dos homens por meio da ação conjunta da educação e das leis.

Se o homem é produto do ambiente em que ele se forma e se o ambiente tende a se tornar cumulativamente melhor pela ação dos próprios homens, nada mais natural do que supor que, à medida que o mundo ao seu redor progride, também os homens ampliarão a sua competência como produtores de bens materiais e a sua capacidade de moldar a sua conduta de acordo com os princípios da razão. A ordem natural da providência divina, as leis imanentes da história ou um coquetel judicioso das duas coisas conspiravam para garantir que o rio do processo civilizatório, ainda que por vezes sinuoso ou inescrutável, corresse rumo a um final feliz. O desconcerto do mundo era o efeito de causas inteligíveis e remediáveis. Conquistas objetivas, colheita subjetiva.

O horizonte resplandecia. Tudo prometia uma supersafra do bem-estar.

As variações em torno desta equação na "era da razão" são incontáveis e, felizmente, dispomos de uma vasta literatura especializada de estudos cuidadosos que mapeiam as nuanças e os contornos próprios de grande parte delas. Creio que vale a pena, entretanto, repassar uma pequena amostra de ilustrações textuais que nos permitam tomar o pulso e apreciar melhor o teor e o colorido das expectativas dominantes do iluminismo europeu acerca da relação entre civilização e felicidade.

Considere-se, por exemplo, o que afirmava o filósofo político e químico inglês Joseph Priestley, co-descobridor do oxigênio (dephlogisticated air) e grande inspirador do que viria a se tornar mais tarde, com Jeremy Bentham e seus seguidores, a grande bandeira do programa de reformas do utilitarismo clássico, ou seja, o princípio da "máxima felicidade do maior número":

> [Na vida em sociedade] são requeridos não mais do que alguns poucos anos para se assimilar todo o progresso anterior de qualquer arte ou ciência; no restante de sua vida, na fase em que as suas faculdades estão mais perfeitas, um homem pode se dedicar à expansão do saber. Mas se desse modo alguma arte ou ciência vier a se tornar ampla em demasia para a sua fácil assimilação [...] uma subdivisão vantajosa

> poderá ser feita. Assim, todo o saber será subdividido e ampliado; e o saber, como observa Lord Bacon, sendo poder, os poderes humanos irão, de fato, se expandir. A natureza, incluindo tanto os seus materiais como as suas leis, estará mais sob o nosso comando e os homens tornarão a sua condição neste mundo enormemente mais tranqüila e confortável; eles irão provavelmente prolongar a sua existência nele e tornar-se-ão dia após dia mais felizes, cada um em si mesmo, e também mais aptos (e, creio eu, mais dispostos) a transmitir felicidade aos demais. Dessa forma, seja qual tenha sido o princípio deste mundo, o final será glorioso e paradisíaco, além de tudo o que a nossa imaginação possa no presente conceber.

Na mesma linha de raciocínio, refletindo a crença iluminista na perfectibilidade humana e na existência de um elo inabalável entre progresso e felicidade, o filósofo, matemático e agitador político francês marquês de Condorcet se propôs a demonstrar, no seu *Esquisse d'un tableau historique des progrès de l'esprit humain* (1795), que "a bondade moral do homem [...] é suscetível de um aprimoramento ilimitado e que a natureza vincula estreitamente, numa corrente indissolúvel, a verdade, a felicidade e a virtude".

Escrita na clandestinidade, durante a fase do Terror na Revolução Francesa, a obra do último expoente do iluminismo francês — um autoproclamado ateu — traía um fervor de fundo religioso. Na terra prometida da razão secular, vaticinava o marquês foragido, as desigualdades entre os indivíduos e as nações diminuiriam, a paz internacional seria alcançada e a adoção do livre-comércio e de uma língua franca universal selariam a fraternidade entre os povos. O avanço do saber científico e a difusão da educação popular dissipariam as trevas da superstição e da intolerância. Ao refletir sobre a etapa histórica que as transformações em curso anunciavam, Condorcet previu que "o progresso das artes mecânicas trará um novo padrão de conforto e felicidade à massa da humanidade"; "o estado atual do conhecimento nos assegura que o futuro será feliz, mas sob a condição de que saibamos como auxiliá-lo com toda a nossa força".

O enredo é familiar: a estrada da razão e da virtude leva ao regaço da felicidade. O presente é o berço do futuro que sepultará o passado. Ao término da via-crúcis, a paz e a reconciliação. Crueldade, estupidez, sofrimento — nada terá sido em vão. A grande mudança reside no _locus_ temporal da trama. O devir histórico — e não mais "a outra vida", o paraíso do além cristão — passa a ser o palco da salvação. Tudo o que é bom convergiria em algum ponto do porvir. Como afirmava o filósofo político inglês William Godwin, pai da futura autora de _Frankenstein_

(1818) e também ele ateu confesso, "quanto mais os homens se erguerem acima da pobreza e de uma vida de expedientes, mais a decência prevalecerá em sua conduta e a sobriedade nos seus sentimentos". Diante da fé com que os filósofos ateus da "era da razão" se agarraram à visão de um futuro feliz para a humanidade, como não lembrar da arguta observação de Diderot, principal artífice da monumental Encyclopédie (1751-73), de que "a posteridade está para o filósofo assim como o outro mundo está para o religioso"?

E mesmo o austero Kant, para citar um último exemplo histórico, não se furtou de nutrir esperanças exaltadas em relação ao que o processo civilizatório faria, a longo prazo, em prol da felicidade humana. Apesar de sua conhecida admiração por Rousseau, que neste ponto tinha uma visão oposta à vigente no iluminismo (como será visto, creio, nos debates); e a despeito de sua postura agnóstica quanto à possibilidade de desvendar o segredo do que faz o homem feliz ("o problema de determinar de modo certo e universal qual ação promoveria a felicidade de um ser racional é completamente insolúvel"), em sua filosofia da história Kant sustentou a idéia de que os homens deveriam estar prontos a sacrificar o seu bem-estar presente tendo em vista a felicidade de uma comunidade ideal futura que eles jamais chegariam a presenciar. O sacrifício, ele assegurava, não seria em vão:

> Deverá ser o destino feliz das gerações futuras tão-somente, o de poder habitar o edifício na construção do qual os seus antepassados trabalharam arduamente, sem que a intenção deles fosse exatamente esta, mas ao mesmo tempo sem qualquer possibilidade de desfrutar a felicidade cujas bases eles estavam deste modo construindo [...] O mais alto propósito da Natureza será por fim realizado com o estabelecimento de uma Instituição Cosmopolítica universal [um organismo supranacional que zele pela paz nas relações entre Estados soberanos] no seio da qual todas as capacidades e dotações originais da espécie humana irão por fim florescer.

Na ética kantiana, ao contrário do que ocorre na tradição mais empírica e mundana do utilitarismo, a felicidade não é o bem supremo ou o fim último ao qual se subordinam todas as normas e todos os princípios da moralidade. Mas nem por isso, vale notar, ela desaparece de cena. A expectativa é a de que haja uma convergência entre a autonomia — o valor central da vida ética — e o bem-estar. O exercício da liberdade sob a égide da razão e da lei moral conduziria à felicidade, isto é, à única felicidade digna deste nome, e isso mesmo que não fosse possível especificar, em cada caso particular, os atributos concretos da felicidade dos diferentes indivíduos. Aos olhos de Kant, portanto, a felicidade não se reduzia ao cálculo hedonista ou à otimização do saldo de afetos positivos (prazer) sobre afetos negativos (desprazer). Ela seria uma espécie de bônus ou prenda involuntária coroando uma boa-fé inquebrantável e a consciência do dever cumprido.

Todo pensador está ligado ao seu século por algum pressuposto questionável e do qual ele não se dá conta. Não é preciso negar os extraordinários méritos e conquistas de ordem prática e intelectual do iluminismo europeu para constatar a existência de um elo frágil e altamente duvidoso na sua equação de progresso. Razão = virtude = felicidade? E se nem tudo o que é prima facie bom e valioso no mundo — o saber verdadeiro, a correção moral, o belo estético, a livre escolha individual, a eficiência econômica e o bem-estar humano — convergir no tempo ou for necessariamente compatível? O futuro despe o passado. Nossas escolhas têm conseqüências imprevistas. A perspectiva aberta pelo intervalo histórico põe em relevo as premissas ocultas, apostas incertas e ilusões de uma época. A obviedade infundada aflora, ganha saliência e, sob o maçarico da crítica e da experiência adversa, não mais convence.

Em retrospecto, há pouca margem para dúvida de que os avanços no campo da ciência, da tecnologia e da produtividade trouxeram enormes benefícios na vida prática em termos de saúde, conforto, renda e condições de trabalho. Mas o sucesso do projeto iluminista, parece justo dizer, não foi uniforme. Em certo sentido, ele acabou ficando muito aquém do que sonhavam e prognosticavam os líderes do pensamento filosófico e científico do século XVIII. À luz do que foram os últimos dois séculos, e tendo em vista o que sentimos e observamos ao nosso redor, quem se arriscaria hoje em dia a vislumbrar um futuro de bem-aventurança terrena nos moldes de um Priestley, Godwin, Condorcet ou Kant?

Entre as crenças que povoavam a imaginação e a visão de futuro iluminista, uma em particular revelou-se problemática: a noção de que os avanços da ciência, da técnica e da razão teriam o dom não só de melhorar as condições objetivas de vida, mas atenderiam aos anseios de felicidade, bem-estar subjetivo e realização existencial dos homens. Sob este aspecto, seria difícil sustentar que o presente esteja à altura do amanhã prometido de ontem.

Pois bem. A questão que proponho para o nosso primeiro encontro é a seguinte: <u>o que falhou</u>? O que fez com que os resultados alcançados traíssem aquelas expectativas? Por que a promessa de felicidade do projeto iluminista não se cumpriu? A crença no progresso continua viva, digna de crédito, ou teria se transformado apenas num dogma vazio, como a carcaça de uma religião decrépita mas que, apesar de moribunda, ainda assombra e oprime com seu feitiço o cérebro dos vivos?

OTTO: Minha primeira reação ao ler o texto do Melo foi concordar — aquelas previsões e profecias todas soam mesmo um tanto exageradas. O iluminismo nutriu e legou falsas esperanças. Mas depois, pensando com calma, eu concluí que existia um problema anterior a este. Veja, do ponto de vista lógico as alternativas são claras: a felicidade pode estar crescendo, regredindo, oscilando sem tendência definida ou estável ao longo do tempo. A questão é que *não há como saber*. Uma coisa é dizer que houve avanço, por exemplo, na técnica de extração de dentes entre a época de Kant e a nossa; ou que a teoria da hereditariedade de Mendel, baseada na descoberta do gene, é superior à da transmissão de caracteres adquiridos proposta por Lamarck. Alguém discorda? Se discordar, não discuto; eu só gostaria de ver o que fará da próxima vez que sentir uma dor de dentes... Isso é progresso verificável. Mas o que dizer da felicidade? O termo é vago, indefinido. Não há métrica concebível que nos permita estabelecer a existência de avanço, retrocesso ou o que for. É como ficar discutindo se Nero foi mais temível que Gêngis Khan ou Helena mais bela que Cleópatra. O grande equívoco dos iluministas, na verdade, foi supor que poderiam fazer afirmações categóricas sobre algo tão incerto e escorregadio como a felicidade humana.

ALEX: Em parte, Otto, você tem razão. O seu desconforto não me é estranho. Ok: o termo "felicidade" é de fato muito vago e traiçoeiro, embora bem menos, você há de convir, do que outros termos de uso corrente como, por exemplo, "Deus". O problema do seu raciocínio, porém, é que se você passar a aplicar rigorosamente o que está propondo, ou seja, que acerca do que não é possível ser claro e objetivo é melhor ficar calado, então acabou não só a filosofia, mas até mesmo a pesquisa científica que você tanto preza. Um certo grau de assepsia na busca do conhecimento e na discussão racional é sempre bem-vindo, mas se você exagerar na dose você acaba matando a possibilidade de refletir e debater sobre tudo aquilo que, no fim das contas, mais importa.

A realidade objetiva não é *toda* a realidade — é apenas *parte* dela. Mas se você ficar só com ela, uma vez que ela apenas se presta a ser publicamente observada, testada e medida de fora, então você estará deixando de lado toda a realidade subjetiva que é o nosso mundo interno, a nossa experiência pessoal e avassaladora de sermos quem somos, isto é, de não sermos simples máquinas calculadoras ou pedaços de química tresloucada, mas de sentirmos o que sentimos e acreditarmos no que acreditamos. O bem-estar do ser humano é em parte objetivo, mas é também subjetivo — depende muito de como as pessoas estão se sentindo e avaliando as suas vidas à medida que o mundo à sua volta se transforma. Então você acha que se os físicos e biólogos pudessem fazer perguntas aos elétrons e células que eles investigam em seus laboratórios; se eles pudessem formular questões e perguntar a eles "por que vocês estão pulando?", "por que vocês se dividem?", "como é que vocês estão se sentindo depois deste bombardeio de raios ultravioleta?", eles se recusariam a fazê-las?

OTTO: Não. A tentação seria irresistível. Mas também seria o fim da física e da biologia como ciências sérias. Posso já antecipar a interminável disputa que se abriria em torno do verdadeiro significado do que os elétrons e as células estavam declarando, da correta interpretação de sua peculiar gramática, do subtexto de suas falas e por aí afora. Imagine o que não faria um crítico literário pós-moderno, desses que misturam Proust, lingüística e física quântica, desconstruindo o discurso profético-delirante do vírus HIV ou de uma célula cancerígena... A comunidade científica, creio eu, acabaria tendo que implantar alguma espécie de "lei da mordaça" para poder retomar o seu trabalho.

ALEX: Mas é aí que está o problema. O método científico é fabuloso, mas ele cobra um alto preço pela sua eficácia. O compromisso com a objetividade condena o investigador a uma postura cognitiva que faz do objeto do conhecimento, seja qual for, uma superfície vazia de experiência e destituída de subjetividade. A ciência lida com o que é publicamente apreensível, com o que é passível de refutação por meio da lógica ou do teste empírico. No caso dos elétrons e das células, por tudo o que sabemos, o modelo de abstração científica serve como uma luva. Mas quando estados mentais entram em cena, como é certamente o caso do homem, a coisa complica. A realidade objetiva é apenas parte da realidade; mas a ciência só é capaz de lidar com essa parte. A felicidade, não importa como seja concebida, é uma preocupação universal da humanidade. Será que nós devemos então abandonar a pretensão de entendê-la e discuti-la racionalmente só porque ela, na medida em que pertence ao universo da subjetividade e ao mundo interior de cada pessoa, não se presta a um tratamento rigorosamente científico?

O mais curioso, só para concluir, é que todos os critérios de demarcação entre ciência e não-ciência — como, por exemplo, o princípio da falseabilidade de Popper, pelo qual uma teoria ou proposição só será científica se ela admitir, pelo menos em tese, alguma forma de refutação inequívoca — estão *fora* do domínio da ciência. O princípio da falseabilidade não é falseável: nenhum teste empírico ou argumento lógico concebível seria capaz de nocauteá-lo. Logo ele não é, nos seus próprios termos, uma proposição científica, mas sim parte de um acordo filosófico — algo que podemos ou não aceitar — acerca do que *deve* ou *não deve* ser admitido como pertencendo ao mundo da ciência. Uma filosofia da ciência, por mais austera e exigente que se proponha ser, será sempre *filosofia* antes de ser *ciência*.

A verdade objetiva em nome da qual a ciência peleja, é bom lembrar, é um *valor* — um compromisso baseado na disposição de uma comunidade de pesquisadores de submeter o processo de formação de crenças aos rigores de uma certa disciplina e ao crivo de critérios de validação impessoais. O filósofo americano Charles Peirce resumiu maravilhosamente o ponto ao afirmar que "a lógica é a ética do entendimento". A ciência é fruto de uma *ética do pensar* — de um acordo sobre regras de procedimento na busca do saber confiável que a ciência não tem como, nos seus próprios termos, legitimar. É por isso, Otto, que se você for levar aquela postura de radical assepsia até o fim da linha, acabou a filosofia e, com ela, acabou a ciência. Nós poderíamos suspender agora mesmo o nosso encontro e ir direto para o botequim, mas suspeito que isso não o deixaria muito feliz...

OTTO: Bela urdidura, Alex, vê-se que você não perdeu o gosto pela esgrima dialética. Acontece que eu não sou o positivista crasso que você está pintando, mas não vou responder agora. Digo apenas que existe um trabalho de pesquisa sério em andamento que busca dar um tratamento mais rigoroso e menos impressionista a toda essa questão da felicidade. O termo que vem sendo empregado para definir o objeto deste florescente campo de estudo é "bem-estar subjetivo". Mas como este será o tema da nossa próxima reunião, da qual aliás eu serei o coordenador, fica para depois. Vamos em frente.

ALEX: Se vocês permitirem — prometo ser breve —, gostaria de fazer uma última observação metodológica antes de prosseguirmos. O ponto é o seguinte. Propor uma definição formal de felicidade seria algo não só pretensioso, mas sujeito a toda sorte de objeções. Não levaria a nada. Creio, porém, que talvez valha a pena distinguirmos alguns dos usos a que o termo "felicidade" se presta na linguagem comum. A idéia é demarcar, com um mínimo de clareza, as principais acepções do vocábulo, de modo que possamos nos entender um pouco melhor a respeito do que estamos falando quando utilizamos essa palavra. Ainda que isso certamente não dê conta da cobrança de evidências empíricas do Otto, penso que permitirá ao menos prevenir algumas confusões e mal-entendidos.

O que se entende por "felicidade"? Quando alguém se declara *feliz*, diversas coisas podem estar acontecendo: a) posso estar feliz porque algo em particular é o caso (meu time ganhou a Copa, consegui um emprego, foi descoberta a cura do câncer etc.) e isso me deixa mais satisfeito do que estava antes, ou seja, isso me traz felicidade; b) posso estar me sentindo feliz *agora*, quero dizer, durante um determinado intervalo de tempo, e isso independentemente de ter ou não motivos conscientes e definidos para a sensação de contentamento e bem-estar que me alegra o coração, e c) posso dizer que sou feliz porque ao avaliar a minha vida *no seu conjunto* eu sinto que, no geral, posso me dizer satisfeito com ela — com as oportunidades que recebi e as escolhas que fiz, com as experiências que tive e com a trajetória de minha existência até aqui. Neste último caso, a felicidade não é apenas uma sensação local (estar feliz), mas inclui um componente reflexivo, ou seja, ela é um sentimento calcado numa avaliação global de minha vida (ser feliz).

Notem que, apesar de interligadas entre si, as combinações possíveis entre essas três acepções de felicidade não são nada lineares. É lógico que alguém feliz no sentido global (c) deve ter encontrado inúmeras coisas que o deixaram feliz (a) e, naturalmente, deve ter desfrutado de muitos momentos felizes (b).

Na prática, porém, é mais complicado. É plausível supor que alguém possa estar vivendo um momento de extrema felicidade (acaba de se apaixonar), mas que nem por isso se julgue, tudo considerado, uma pessoa feliz ("fiz de mim o que não soube e o que podia fazer de mim não o fiz"). Uma vida também pode ser feliz no sentido global, embora desprovida de altos vôos de felicidade local (no epitáfio que compôs para si mesmo, Locke escreveu: "Se perguntas que tipo de homem ele era, ele responde que foi feliz em sua mediocridade"). Igualmente, alguém pode estar passando por uma fase sombria (perdeu uma pessoa querida), mas ainda assim julgar-se feliz ao avaliar a sua vida como um todo. Uma vida pode ser marcada por uma sucessão alucinante de "picos" de intensa felicidade mas, não obstante, revelar-se um fracasso no arco que descreve — um longo e melancólico naufrágio pontuado por arroubos de efêmera exaltação.

O ponto a que eu quero chegar é que o sentido de felicidade que mais nos interessa, suponho, é o do grau de satisfação global com a vida que se tem — o *ser feliz* mais que o *estar feliz*. A promessa de felicidade do projeto iluminista dizia respeito à expansão das oportunidades e, principalmente, da capacidade das pessoas em geral de viverem à altura do seu melhor potencial, escolhendo o seu próprio destino, encontrando uma satisfação e um sentido de realização crescentes na sua existência, em suma, fazendo de forma cada vez mais consciente e bem-sucedida o melhor de que são capazes de suas vidas. É nesse sentido, creio eu, que devemos procurar abordar a questão proposta pelo Melo no texto de abertura.

MELO: Breve certamente você não foi, mas fico feliz (na primeira acepção) por você ter esclarecido este ponto. Acho que ninguém aqui discorda...

LEILA: Eu queria voltar ao que o Otto disse bem no início, porque a minha reação ao ler o texto foi basicamente igual à dele. O iluminismo prometeu e não entregou, ou melhor: entregou *menos* do que prometeu. Só que, em vez de enveredar pela senda da malhação metodológica, eu fiquei pensando em como responder à pergunta que nos foi proposta. Afinal, o que deu errado? E a resposta a que cheguei, a partir de um raciocínio inspirado nos pensadores estóicos antigos, foi mais ou menos a seguinte.

No papel, em termos conceituais, é simples. Todo o sofrimento humano, não importa qual seja, resulta de uma incongruência entre a nossa vontade e desejos, de um lado, e o curso dos acontecimentos que nos afetam, de outro. Como lidar com a discrepância entre aspirações e realidade? Há dois modos básicos de reduzir ou anular essa incongruência. Um deles é adaptando e moldando os *nossos desejos* ao curso dos acontecimentos; e o outro é transformando *as circunstâncias* com que nos deparamos de modo a que atendam aos nossos desejos.

Os filósofos estóicos, como se sabe, eram grandes entusiastas do primeiro caminho. Como as circunstâncias com as quais nos deparamos não estão sob o nosso controle e como o mundo é regido por leis que independem de nossa vontade, só nos resta submeter e adaptar o que está à mercê da nossa vontade, ou seja, os nossos desejos e aspirações, ao curso dos acontecimentos. "O benéfico e o prejudicial", observa o "iluminista cético" David Hume sobre esta estratégia, "tanto de ordem natural como moral, são inteiramente relativos ao sentimento e ao afeto humanos. Nenhum homem jamais seria infeliz se ele pudesse alterar os seus sentimentos; como Proteus, ele se furtaria de todos os ataques por meio das contínuas alterações de sua forma e feitio". Ou como sugere Epicteto, o escravo coxo que abraçou o estoicismo e virou guru do imperador romano Marco Aurélio, "não são as coisas em si mesmas que inquietam os homens, mas as opiniões que eles formam sobre estas coisas". A aceitação dos nossos limites pessoais e humanos, a autodisciplina interior e a pacificação dos desejos pela reflexão filosófica e a vida contemplativa são o segredo de uma existência plena, harmoniosa e serena. "Quereis só o que podeis e sereis onipotentes." *Amor fati.*

Pois bem, onde fica o iluminismo? A estratégia iluminista, penso, é o avesso radical do ideal estóico. Em vez de buscar a libertação *da* tirania dos desejos sobre o espírito dos homens, tratava-se de libertar *os* desejos, ou seja, insuflar e dar livre curso a certos impulsos e fantasias dos homens, especialmente no campo das aspirações de ganho monetário e consumo material, e de transformar o mundo para garantir a sua máxima satisfação. O ideal iluminista reflete, em suma, uma barganha faustiana — vender a alma ao demônio em troca de *poder sobre o mundo.* Ele representa uma aposta monumental na conquista da felicidade pela crescente, violenta e sistemática subjugação do mundo natural aos propósitos e caprichos humanos. A palavra de ordem é dominar a natureza. "No princípio era a ação."

A referência de Priestley a Francis Bacon, no texto que foi distribuído, é perfeita. Foi na filosofia renascentista de Bacon e Giordano Bruno que surgiu esta idéia terrível de que torturando e bulindo experimentalmente com a natureza nós conseguiríamos arrancar dela os seus segredos; de que ao possuí-la e subjugá-la nós poderíamos vencer a escassez e submeter o mundo aos nossos desígnios e vontades; e de que desse modo poderíamos recriar pelo engenho e sagacidade um novo "jardim das delícias", um paraíso tecnológico de turbinas, robôs, viagras e disneylândias no qual "o homem se faria a si próprio um deus sobre a Terra" (Bruno). As sementes plantadas no renascimento vingaram e medraram nesta ejaculação vulcânica da *libido dominandi* que foi o iluminismo europeu. A colheita, porém, não deu os frutos pretendidos.

O erro capital do projeto iluminista foi dar uma ênfase desmesurada à transformação e à conquista do mundo objetivo em detrimento de uma atenção maior à questão dos desejos e ao lado contemplativo da realização humana. Não se trata, é claro, de ir para o *tudo ou nada*. Não estou defendendo um estoicismo ou budismo universais. Mas se o quietismo fatalista dos estóicos e orientais tem sérias deficiências na vida prática, o voluntarismo faustiano que herdamos do projeto iluminista — e que a globalização está espalhando pelo mundo com a ferocidade de uma praga — deixa muito a desejar, para dizer o mínimo, no plano espiritual.

E na verdade, pensando bem, nem só nele. Vejam no que deu brincar de aprendiz de feiticeiro na manipulação do meio ambiente e no consumo pantagruélico de recursos naturais. A ameaça de uma catástrofe ecológica não deixa de ser um espantoso paradoxo desta civilização que fez da racionalidade e do progresso os seus grandes princípios unificadores. O que era para ser a salvação secular do homem, a reparação dos males oriundos do pecado original, acabou se tornando uma ameaça concreta de extinção biológica da espécie. E tudo isso em nome do quê? Da felicidade geral? O resultado aí está: "Especialistas sem espírito, sensualistas sem coração — e esta nulidade se considera, ainda por cima, o supra-sumo da civilização". Vivemos em meio a um aterrador crepúsculo espiritual.

MELO: Duas coisas me ocorreram, Leila, enquanto ouvia sua pequena aula. A *primeira* é que você comete uma injustiça com a filosofia baconiana. O erro não é seu apenas, mas está consagrado em inúmeros textos e artigos. A caricatura, como se dá conta quem quer que leia os textos originais, trai a obra. Passo a palavra ao historiador e biógrafo vitoriano de Bacon, Thomas Macaulay: "O mundo que ele [Bacon] almejava não era, como alguns parecem supor, um mundo de rodas hidráulicas, teares mecânicos, vagões a vapor, sensualistas e canalhas. Ele estaria tão pronto quanto o próprio Zeno a sustentar que nenhum grau de conforto corporal que se pudesse alcançar pelo engenho e trabalho de uma centena de gerações traria felicidade a um homem cuja mente estivesse tiranizada pelo apetite licencioso, a inveja, o ódio ou o medo". Robert Boyle, o pai da química moderna e grande adepto da filosofia baconiana, era ainda mais enfático. "As bestas", afirmou, "habitam e desfrutam o mundo; o homem, se quiser mais, tem de estudar e se espiritualizar."

O melhor contraponto do ideal estóico de "felicidade da quietude" (*ataraxía*) você encontra não em Bacon, mas em Hobbes — na imagem hobbesiana da felicidade (*felicity*) como sendo "o sucesso contínuo na obtenção das coisas que um homem de tempos em tempos deseja, quer dizer, a contínua prosperidade [...] o progresso contínuo do desejo de um objeto para o outro, a conquista do primeiro sendo ainda apenas o caminho para o seguinte [...] o desejo perpétuo e sem descanso de poder seguido de poder, que cessa apenas com a morte". Mesmo aqui, contudo, é importante frisar que Hobbes não está defendendo um ideal — a "felicidade do tumulto" e a contenda como *summum bonum* —, mas apenas enunciando o que ele supõe ser "a inclinação geral de toda a humanidade".

O *segundo* ponto decorre do primeiro. Que o projeto iluminista representa o pólo faustiano no eixo das estratégias de busca da felicidade que você tão bem delineou, não há como discordar. Mas a caracterização do projeto de transformação do iluminismo ficou capenga. O domínio da natureza pelo homem era *uma* peça capital do projeto, não há dúvida. Mas ele viria acompanhado de *duas* outras conquistas paralelas: 1) a crescente capacidade de aperfeiçoar a natureza humana por meio da educação e de um ambiente propício ao seu pleno desenvolvimento, e 2) a crescente capacidade dos governantes de fomentar o bem-estar da maioria por meio de políticas e de uma legislação racionalmente desenhada para este fim. "A grande empresa do governo", sustentava Bentham com o seu habitual desprezo pela sutileza, "é promover a felicidade da sociedade pela administração de punições e recompensas." A expectativa dos iluministas era de que as três pernas do tripé (domínio da natureza, perfectibilidade humana e governo racional) caminhassem pari passu e, à medida que avançassem, nos levassem a passos firmes rumo à tão sonhada era da felicidade...

LEILA: Quanto à filosofia baconiana, admito, o reparo faz sentido. Eu provavelmente me ative mais ao que *foi feito dela* pelas gerações seguintes do que à formulação original do filósofo: nenhum pensador controla o destino de suas idéias. Mas em relação ao segundo ponto, Melo, francamente, *capenga ficou foi o tripé iluminista*! Se a idéia era de que três vetores ou competências avançassem simultaneamente, mas um deles — a dominação da natureza pela técnica científica — disparou na frente, ao passo que os outros dois ficaram atolados na largada, então não só a expectativa que eles tinham era falsa e enganosa, mas o projeto que conta, isto é, aquele que foi de fato implementado, falhou miseravelmente. "O caminho do inferno está cheio de boas intenções."

Aliás, confesso que achei o quadro que o Macaulay pinta do mundo com que Bacon não sonhava uma descrição bastante acurada do que nós vemos por aí hoje em dia. A única diferença é que em vez de rodas hidráulicas e teares mecânicos estamos falando de fibras ópticas, laptops, cereais transgênicos e jet-skis. O que importa, você há de convir, não é o que idealmente teria sido, no melhor dos mundos possíveis, mas o que na prática terminou *sendo* — a brutal ressaca de anticlímax que aí está.

OTTO: Não sou tão pessimista e amargo quanto você, Leila, mas apóio o seu empenho de olhar para o que de fato *aconteceu*, e não para o que *teria acontecido* se tudo tivesse saído de acordo com o que se planejou e desenhou na prancheta. Esta conversa me faz lembrar aquelas antigas controvérsias — nós mesmos devemos ter passado horas em torno delas nos nossos tempos de militância estudantil — sobre até que ponto o comunismo soviético poderia ou não comprometer a validade teórica do marxismo. O que Marx antecipara era uma revolução internacional nos países capitalistas avançados. O que vingou, porém, foi um putsch isolado num país agrário e semifeudal. A disjuntiva era brilhante, inapelável: se o experimento soviético fosse bem-sucedido, o marxismo estaria justificado pela força esmagadora dos fatos; mas se ele naufragasse, se a revolução fosse traída ou descambasse num mero despotismo asiático, bem, aí era preciso frisar que Marx nunca teria acreditado que o verdadeiro comunismo pudesse se tornar realidade ou mostrar a que veio num país tão atrasado como a Rússia czarista. Um dos meus passatempos favoritos, embora na época eu mal me desse conta do talento requerido para o exercício, era mostrar o abismo que havia entre o capitalismo como ele *de fato existia*, de um lado, e o comunismo como ele *poderia existir*, em condições ideais é claro, de outro.

ALEX: Cara eu ganho, coroa você perde! Acho que, com exceção do Melo, fomos todos craques imbatíveis nessa mágica — e tudo com a maior inocência e boa-fé deste mundo! O que eu me pergunto, sempre que lembro daqueles tempos, é o que teria sido do marxismo como visão de mundo — eu falo da fé e da paixão que ele despertava — caso a Revolução Russa, por algum acidente, não tivesse ocorrido.

MELO: Pois é, Alex. Não foi à toa que Weber — "o Marx da burguesia", lembram? — alertou o seu ex-aluno, o filósofo marxista húngaro Lukács, e isso poucos meses após a revolução bolchevique, quando tudo era ainda uma gigantesca promessa, de que os russos iam arruinar a reputação do marxismo por cem anos...

OTTO: Só um século?! Acho que Weber subestimou a duração do efeito. Afinal, 2017 já está aí... Por tudo o que sei, vai demorar bem mais que isso para que se volte a levar a sério, se é que isso ocorrerá algum dia, aquela que era, no fim das contas, a grande idéia-força do marxismo, a proposta de uma economia centralmente planejada que substituísse com vantagem a "anarquia" e a "competição selvagem" do livre-mercado. Acho que nós deveríamos ser gratos aos russos e alemães-orientais por terem demonstrado na prática o engodo do planejamento central. Em nome de uma suposta racionalidade, eles acabaram criando um verdadeiro hospício econômico. O século XX virou esta página.

MELO: Mas o que eu queria dizer era outra coisa. Essa idéia de que o tripé iluminista ficou capenga, de que a promessa de felicidade não estava se cumprindo como fora imaginada na "era da razão", foi ficando bem clara já no século XIX. O violentíssimo protesto do movimento romântico contra o efeito desumanizador da ciência moderna, da tecnologia, da urbanização, do mercado, em suma, de tudo o que estava associado ao progresso tal como os profetas do iluminismo o concebiam, era já um sintoma claro de que algo totalmente inesperado e perturbador estava acontecendo.

De repente, era como se irrompesse uma fratura na consciência européia. De um lado, os herdeiros do iluminismo, os adeptos da racionalidade, da lógica, da locomotiva a vapor, do ritmo acelerado das metrópoles e do cálculo econômico; do outro, os rebeldes românticos, os partidários da sensibilidade, da poesia, do lirismo das nuvens, da natureza intocada e da solidariedade fraterna. De um lado os *cínicos* que, como satirizava Oscar Wilde, "conheciam o preço de tudo, mas não sabiam o valor de nada"; e, de outro, os *sentimentais* que "vislumbravam um valor incomensurável em tudo, mas não sabiam o preço de nada".

Pois bem, deixemos por ora de lado o protesto romântico. O ponto que desejo frisar, voltando ao que a Leila e eu discutíamos, é que os herdeiros legítimos do iluminismo na segunda metade do século XIX de forma alguma abandonaram a convicção de que o rio do processo civilizatório fluía rumo ao mar da felicidade geral. Tanto a segunda geração dos utilitaristas clássicos como os fundadores do marxismo, não obstante as suas enormes e notórias divergências, compartilhavam um mesmo movimento intelectual e diagnóstico básico em relação ao desapontamento com os resultados até então alcançados.

Tratava-se, eles acreditavam, não de rejeitar tout court as brilhantes conquistas e promessas do século XVIII, como faziam os nostálgicos e retrógrados românticos, mas sim de incorporar os avanços feitos para, isto sim, *completar* a tarefa inacabada de transformar o mundo à luz de critérios racionais. Se o iluminismo falhou, ou seja, se ele ficou aquém do que havia prometido, isso aconteceu não porque ele padecesse de algum pecado original inapelável ou porque ele contivesse alguma contradição insuspeita e insolúvel. A grande falha foi ficar no meio do caminho; foi não fazer tudo o que precisava ser feito, não completar o movimento necessário para levar o projeto a bom termo.

ALEX: Calma lá, Otto. Consigo ver bem o que você sugere, pelo menos no caso da tradição marxista que parte de Hegel e desemboca na Escola de Frankfurt. O que me surpreende, contudo, é quando você coloca o utilitarismo inglês no mesmo barco. Não seria forçar a barra? Como juntar assim, num mesmo saco doutrinário, dois inimigos ideológicos jurados de morte?

Quanto ao marxismo, como já disse, estamos de pleno acordo. Aliás, outro dia, relendo velhas anotações que fiz de uma belíssima tese de doutorado orientada por Adorno — *O conceito de natureza em Marx*, defendida por Alfred Schmidt — deparei-me com uma linda passagem de Marx que ilustra com perfeição o que você está apontando. "Ao mesmo passo que a humanidade se assenhora da natureza", dizia o trecho, "o homem parece ficar escravizado a outros homens ou à sua própria infâmia. Mesmo a pura luz da ciência parece incapaz de brilhar exceto por sobre as trevas de um vasto pano de fundo de ignorância. Todo o nosso engenho e progresso parecem resultar na incorporação de vida intelectual às forças materiais e na estultificação da vida humana em força material." Não é brilhante?

A solução que ele propõe, é evidente, jamais seria a de jogar fora o bebê junto da água do banho. Saibamos preservar a essência do progresso — e Marx nunca se cansou de defender "a força civilizadora do capitalismo" contra os românticos e nostálgicos de um passado idealizado —, mas descartemos o sistema econômico que perverte os seus frutos e frustra a sua promessa. Ao se assenhorar do controle consciente de suas relações sociais e do seu destino coletivo, a humanidade finalmente daria o passo definitivo rumo à construção de uma "sociedade racional". Como dirá Marcuse em "Sobre o hedonismo", expressando aqui a essência da perspectiva frankfurtiana, "na sua forma mais completa, a felicidade e a razão coincidem". Subjetiva e inalcançável na sociedade de classes, a felicidade se tornaria objetiva, aberta a todos e finalmente possível no socialismo. A natureza humana poderia então florescer livremente e revelar o melhor que ela guarda em si. O caminho à frente era claro. O legado iluminista deveria ser recolhido, metabolizado e radicalizado, não atirado à lata de lixo da história.

Até aí tudo bem. Mas onde entra o utilitarismo nisso? Não eram eles os defensores aguerridos do status quo? Não eram eles que se opunham com unhas e dentes a qualquer tentativa de transformação radical da sociedade de classes existente? Confesso que, para mim, soa um tanto estranho você enfiar essas duas correntes ideológicas no mesmo saco, como se fossem, no fundo, companheiros de viagem.

MELO: Você sabe, Alex, como os ciúmes e as brigas entre parentes próximos costumam ser exacerbados. Creio que a diferença, nesse caso, é mais uma questão de grau, tática e estilo do que de orientação geral do pensamento. É claro que, por mais que você procure, jamais conseguirá encontrar nos anais do utilitarismo declarações como, por exemplo, aquela de Trotsky de que no comunismo "o padrão médio de homem atingirá a estatura de um Aristóteles, um Goethe ou um Marx e, para além desses cumes, novos picos se erguerão". Dá para imaginar Marx dizendo algo semelhante (a não ser, é óbvio, pelo último nome da lista), mas suponho que nem mesmo um utilitarista bêbado se permitiria voar tão alto em seus devaneios. Nem por isso, contudo, eles deixavam de sonhar de olhos abertos e nutrir enormes esperanças quando o futuro da felicidade humana estava em jogo.

O melhor exemplo é John Stuart Mill. Por um lado, ele tinha tão pouca paciência quanto Hegel ou Marx diante da pregação romântica de que o progresso trazido pelo iluminismo era um mal a ser erradicado e a única salvação possível estaria num suposto "retorno à natureza". "Todo enaltecimento da civilização", sustentava Mill, "é igualmente censura da natureza, um reconhecimento de uma imperfeição que constitui tarefa e mérito do homem estar sempre procurando corrigir e mitigar." O mundo natural, sem esquecer a natureza interna do homem, existia para ser *domado* e *aperfeiçoado*, não seguido ou endeusado. A civilização, ele afirma, representa uma "vitória sobre o instinto".

Mas, ao mesmo tempo, ele não aceitava o hedonismo crasso dos primeiros utilitaristas — Bentham, é claro, mas também seu pai, James Mill — que concebiam o homem como uma espécie de "máquina do prazer", incrivelmente hábil e competente no cálculo dos *meios*, mas sem qualquer capacidade de discernimento ético na escolha dos *fins*. Se a busca da felicidade individual, entendida como a maximização das sensações de prazer ou utilidade ao longo da vida, implicasse o sacrifício do compromisso com a ética, Mill não teria dúvida sobre como encarar o dilema: "É melhor ser um ser humano insatisfeito do que um porco satisfeito; melhor ser um Sócrates insatisfeito do que um tolo satisfeito; e se o tolo ou o porco tem uma opinião distinta, é porque eles só conhecem o seu próprio lado da questão". A felicidade que se dane.

O dilema, porém, era falso. A relação entre ética e felicidade não implicava escolha, mas a feliz convergência e mútuo reforço entre uma e outra. A mente humana, acreditava Mill, é dotada de uma "capacidade ilimitada de aprimoramento". O exemplo de alguns mostrava que não havia nada de incompatível entre o ideal utilitário da máxima felicidade e o ideal ético da melhor vida. Ao contrário, se estes poucos haviam conseguido, ele questionava, então por que a maioria não conseguiria?

A resposta que ele oferecia era clara: "Não há nada na constituição da natureza humana que impeça que seja assim para toda a humanidade. Até que isso aconteça, a espécie humana jamais desfrutará de uma décima parte da felicidade da qual a nossa natureza é suscetível. Considero desprovida de esperança qualquer expectativa de aumento considerável da felicidade humana por meio de meras mudanças nas circunstâncias externas, desacompanhadas de mudanças nos estados dos desejos". Se isto não chega a ser a promessa de um mundo povoado por Platões, Dantes e Mills, é certamente um planeta vizinho.

LEILA: Que mundo feliz... Gostei sobretudo da referência à "décima parte da felicidade". Esses utilitaristas não perdiam a mania de quantificar e fazer contas nem mesmo enquanto estavam sonhando! Só faltou dizer como chegar lá. Marx, nós sabemos, respirava luta de classes e pregava a revolução. E o Mill?

MELO: Mill respirava democracia representativa e pregava reformas sociais. Os "filósofos radicais", como eram chamados na época, não alimentavam a crença em saltos dialéticos ou súbitas mutações revolucionárias, mas ambicionavam rever de fio a pavio todas as leis e instituições, todas as práticas e políticas públicas, de modo a subordiná-las ao princípio da máxima felicidade da maioria. O caminho para isso era a participação democrática. Não foi à toa que tanto Mill como David Ricardo — seu ex-tutor particular em economia política e amigo íntimo de seu pai — chegaram a se eleger como membros do parlamento britânico. Imagino que deve ter sido um golpe doloroso para Mill quando ele perdeu a reeleição...

Mas o fulcro da posição milliana foi trazer o princípio da "perfectibilidade humana" para o centro do palco. O aprimoramento intelectual, moral e estético dos indivíduos era um processo em parte espontâneo, fruto da melhoria das condições de vida da maioria, mas ele poderia — e sem dúvida deveria — ser enormemente acelerado por duas vias de ação complementares: a redução do crescimento demográfico e, sobretudo, a ampliação das oportunidades de *educação*.

À alavanca educacional caberia a função estratégica de formar o caráter e despertar o desejo de autoaperfeiçoamento nos indivíduos. Baseado na premissa lockeana de que a mente humana, ao nascer, é uma "tábula rasa" — uma chapa lisa e maleável na qual se podem imprimir os caracteres desejados —, Mill acreditava sem pestanejar que "o poder da educação é quase ilimitado; não existe uma inclinação natural que ela não seja forte o suficiente para submeter pela coerção e, se necessário, destruir pelo desuso". O milagre do avanço tecnológico havia transformado as cataratas do mundo natural em eletricidade e conforto. Bravo! Faltava agora concluir o serviço inacabado do iluminismo. À educação caberia o milagre de transmutar os instintos naturais do animal humano em paixão pela virtude e amor ao refinamento intelectual. Luxo e alta cultura para todos.

OTTO: Democracia representativa? Essa é boa... O que sinto é um cheiro inconfundível de paternalismo e elitismo. Eis aí mais um candidato a rei-filósofo; outro digno espécime da tribo dos intelectuais "iluminados" que sonha em refazer as massas ignaras à sua imagem e semelhança. Quanta pretensão! Deus nos livre de um mundo feito de sábios e anjos; de populações inteiras compostas apenas de intelectuais narcisistas e paradigmas da retidão! Não bastam os que já existem? Que ele goste de "prazeres superiores", tudo bem. Tem todo o direito. Mas com que autoridade Mill & cia. podem sair por aí pontificando sobre os prazeres do homem comum? Logo ele que, entre outras coisas, como o Melo estava me contando outro dia, era celibatário e provavelmente morreu virgem. E Kant então? Dá para imaginar alguém que passou a vida adulta com medo de transpirar e perder os seus "sumos vitais"? É fácil entender por que Mill não foi reeleito...

A minha opinião é a seguinte. O erro básico de todos estes modelos é a crença de que existe algum sistema ou arranjo socioeconômico que irá finalmente resolver por nós o desafio da felicidade e da realização pessoal. Não existe. A solução dos nossos problemas éticos e existenciais, se é que se pode falar nesses termos, não será dada de cima para baixo, a golpes de engenharia social e doutrinação moral, ou na base de decretos, alvarás e ordens régias. Só os indivíduos podem fazê-lo. Essa miragem de uma nova "era da felicidade" é uma quimera que seria apenas risível se não tivesse provocado tantos desastres e sofrimento na história humana. Será que o século XX não sepultou de uma vez por todas fantasias malucas desse tipo?

LEILA: Suspeito que não, Otto, só que não pelas razões — ou falta delas — que você está provavelmente imaginando...

MELO: Desculpe interromper, mas como coordenador da noite tenho a missão de avisar que o nosso tempo está no fim. Para encerrar, seria bom se alguém pudesse fazer uma rápida síntese do que debatemos hoje. Volto à questão original. Onde ficamos? Por que o amanhã feliz de ontem — na terceira acepção indicada pelo Alex, é claro — não se tornou o nosso presente?

[BREVE SILÊNCIO EMBARAÇOSO]

MELO: Bem, já que ninguém se arrisca a falar, vamos lá... O que eu vou propor é mais uma generalização de amplo alcance do que propriamente uma síntese. Se analisarmos as grandes linhas mestras do pensamento europeu a partir do final do século XVIII, é possível identificar a existência de duas tendências que configuram o que se poderia chamar de *a bifurcação pós-iluminista.*

Dois caminhos alternativos se delineiam. O iluminismo falhou em sua promessa de felicidade porque ele não completou o seu projeto transformador? Ou ele falhou porque havia uma contradição alojada na premissa de uma harmonia natural entre o avanço do processo civilizatório e o aumento da felicidade?

Tome a *primeira* vertente da bifurcação e você embarcará na rota que leva não só a Hegel, Marx e Escola de Frankfurt, mas também a Bentham, Mill e a toda a tradição de reformismo dos utilitaristas. É a *tese da incompletude.* O problema não foi de excesso, mas sim de falta. A grande falha foi não ter completado o caminho, isto é, foi não ter conseguido dar seqüência prática e levar a bom termo a realização do projeto iluminista. O desapontamento com os resultados alcançados e o mal-estar reinante seriam sintomas transitórios de uma jornada incompleta — dores do crescimento, não moléstia congênita. Nada, em suma, que o avanço do processo civilizatório não pudesse sanar. A equação iluminista (razão = virtude = felicidade) é perfeitamente solvível no eixo do tempo. Ela permanece de pé.

Tome a *segunda* vertente da bifurcação e você se encontrará na estrada que leva a pensadores como Diderot, Nietzsche, Weber e Freud, ou seja, à idéia de que o processo civilizatório e o avanço da racionalidade têm custos substantivos do ponto de vista das aspirações ancestrais do animal humano e o preço é pago na moeda do bem-estar subjetivo. A civilização entristece o animal humano. Ela acarreta uma corrosão progressiva da alegria espontânea de viver e do que se chamou certa feita de "o doce sentimento da existência". O processo civilizatório traz benefícios, mas implica custos. Há uma troca incontornável. A equação iluminista não fecha: ela não apresenta solução computável no eixo do tempo. É a *tese da permuta civilizatória.*

Penso que, neste primeiro encontro, nós conseguimos discutir razoavelmente a tese da incompletude, mas mal arranhamos a tese da permuta que começou a dar os primeiros sinais de vida nos escritos efervescentes do jovem Rousseau e do movimento romântico, antes de receber um tratamento mais sóbrio e analítico, para não dizer minimamente consistente, a partir da segunda metade do século XIX. Não seria má idéia, acredito, fazer uma rodada mais à frente só para discutirmos com mais vagar os prós e contras da tese da permuta civilizatória. Sugiro também que a Leila assuma desde já a incumbência de ser a coordenadora desse futuro encontro. Que tal?

LEILA: Fechado. Ficamos então com o texto do Otto para o próximo encontro e com o meu no seguinte. Minha cabeça já está a mil.

SEGUNDO ENCONTRO

Indicadores objetivos e subjetivos de bem-estar*

Qualquer que seja o propósito último da existência humana de um ponto de vista cósmico, uma coisa é certa: o propósito terreno das pessoas de carne e osso em qualquer lugar do planeta é alcançar a felicidade e fazer o melhor de que são capazes de suas vidas.

A busca do prazer e a aversão à dor não detêm o controle exclusivo das ações que conduzem à felicidade, mas são guias indispensáveis na realização deste fim. A natureza não dá ponto sem nó. Uma espécie biológica que sofresse dores lancinantes ao saciar os seus apetites por alimento, sexo e sono estaria com os dias contados. A mensagem que a língua cifrada da dor e do prazer físicos nos transmite é inequívoca: a natureza nos quer <u>vivos</u> e <u>dispostos a</u>

(*) Juntamente com o ensaio de sua autoria, Otto distribuiu fotocópias de três artigos que poderiam servir de pano de fundo para este encontro: Ed Diener et al., "Subjective well-being: three decades of progress"; Michael Argyle, "Causes and correlates of happiness"; e Andrew Oswald, "Happiness and economic performance".

procriar. O que os materialistas libertinos do século XVIII intuíam é hoje uma evidência científica: o orgasmo feminino eleva de forma significativa as chances de fecundação no ato sexual. Como ensinava o velho e bom Aristóteles, "o prazer aperfeiçoa a atividade".

A questão do segredo da felicidade e do lugar do prazer na melhor vida ao nosso alcance tem ocupado alguns dos melhores (e piores) cérebros da humanidade há milênios. Do esoterismo neoplatônico aos manuais de auto-ajuda que abarrotam as livrarias, existem receitas para todos os paladares. Mas é somente de alguns anos para cá, a partir do início da coleta sistemática de evidências e dados empíricos sobre o assunto, que um trabalho de investigação mais científico e rigoroso começou a ser desenvolvido. Alguns dos resultados até aqui obtidos estremecem convicções fortemente enraizadas.

Os programas de pesquisa em andamento atacam a questão dos determinantes da felicidade por diversos ângulos. Entre eles se destacam: o estudo do que torna certos estados de consciência mais ou menos aprazíveis; a identificação dos fatores pessoais, socioeconômicos e culturais associados a variações de bem-estar subjetivo; e as bases químicas, hormonais e neurobiológicas das experiências mentais e emocionais que levam alguém a se sentir mais ou menos feliz com a vida que tem. A febre em torno do tema nos meios acadêmicos, especialmente nos Estados Unidos, pode ser avaliada pela criação de um novo periódico integralmente dedicado ao assunto — o Journal of Happiness Studies. O interesse pelo tema, alguém poderia ironizar, é sintomático. Se a felicidade (ou a falta dela) não houvesse se tornado um problema, existiria tamanha preocupação em pesquisá-la?

O que torna as pessoas felizes? A pergunta pode soar arrogante e pretensiosa, mas a resposta não precisa ser. O primeiro passo é constatar que o bem-estar humano abarca dois componentes básicos.

Existe uma dimensão objetiva, passível de ser publicamente apurada, observada e medida de fora, e que se reflete nas condições de vida registradas por indicadores numéricos de nutrição, saúde, moradia, uso do tempo, renda per capita, desigualdade, criminalidade, poluição e assim por diante; e há uma dimensão subjetiva, que é a experiência interna do indivíduo, ou seja, tudo aquilo que se passa em sua mente de forma espontânea enquanto ele vai vivendo e agindo no decorrer dos dias e que volta e meia ocupa a sua atenção consciente nos momentos em que ele se dá conta do que está sentindo e pensando ou reflete sobre a vida que tem levado.

A felicidade é algo que sucede na confluência das duas dimensões. Situações extremas revelam a dependência recíproca entre ambas. Se o lado objetivo não preencher requisitos mínimos, a carcaça biológica sucumbe e não há mais bem-estar possível (pelo menos entre os vivos). Mesmo um faquir precisa vez por outra entreter o estômago. Mas para alguém cronicamente deprimido, em contrapartida, o viver é insípido e nada recobra o gosto de ser quem se é. Embora cercado de luxo e conforto, sua vida beira o insuportável: "não há mendigo que eu não inveje só por não ser eu".

O grande desafio para quem se propõe a analisar os determinantes da felicidade na vida e convivência humanas é obter informações e dados empíricos confiáveis sobre a dimensão subjetiva do bem-estar. Observar diretamente o fenômeno está fora do nosso alcance — apenas alguma forma desconhecida de endoscopia da psique humana, algo difícil de ser concebido até mesmo especulativamente, daria conta da tarefa. O desafio, contudo, é real. Dado que não é possível observar e medir de fora o bem-estar subjetivo, como então saber se as pessoas estão se sentindo mais ou menos felizes com a vida que levam à medida que as condições do mundo ao seu redor se transformam?

A saída encontrada foi perguntar a elas. Nas últimas três décadas, uma formidável bateria de questionários e entrevistas vem sendo aplicada a amostras representativas das populações de dezenas de países, principalmente entre os de alta renda per capita, procurando obter respostas sobre o grau de felicidade (elevada, moderada ou baixa) dos indivíduos com a sua vida como um todo.

O método, é certo, desperta dúvidas metodológicas legítimas, mas pelo menos oferece uma primeira aproximação do que era até aqui uma verdadeira _terra incognita_. Ele tem recebido aprimoramentos ao longo do tempo e, mais importante, tem gerado resultados que satisfazem critérios externos de validação, que são consistentes entre si na experiência de diversos países e que parecem justificar um esforço continuado de análise e investigação.

Uma das descobertas centrais do programa de pesquisa sobre os determinantes da felicidade é que a relação entre os indicadores objetivos e subjetivos de bem-estar está longe de obedecer a um padrão bem-comportado. Como resumem os organizadores da mais completa e atualizada coletânea de papers sobre o que se produziu até o momento na área: "Há várias décadas os cientistas sociais deram início a investigações em larga escala sobre a satisfação dos indivíduos com as suas vidas e a sua sociedade. Um dos achados mais robustos desta pesquisa foi que as correlações entre os juízos globais sobre a qualidade de vida e as condições objetivas são freqüentemente bastante fracas".

Uma amostra das evidências e achados surpreendentes descritos na literatura especializada ajuda a ilustrar a natureza dos resultados obtidos:

• Décadas de forte crescimento econômico nos Estados Unidos, Europa e Japão na segunda metade do século XX muito pouco ou nada alteraram as proporções de indivíduos felizes e infelizes na população dos respectivos países; o crescimento compra felicidade nos países extremamente pobres, mas a partir do momento em que uma nação atinge determinado nível de renda (cerca de US$ 10 mil anuais per capita* ou o equivalente à renda atual de países como Irlanda, Portugal e Coréia do Sul), acréscimos adicionais de renda não mais se traduzem em ganhos de bem-estar subjetivo; entre 1975 e 1995, por exemplo, a renda média por habitante nos Estados Unidos aumentou 43% em termos reais, ao passo que a felicidade média dos americanos não saiu do lugar.

(*) Todos os valores monetários no texto de abertura e nos diálogos são em dólares norte-americanos e foram convertidos segundo a paridade do poder de compra (PPP) das diversas moedas a fim de evitar distorções provocadas por desajustes nas respectivas taxas de câmbio.

Renda per capita e felicidade: Estados Unidos

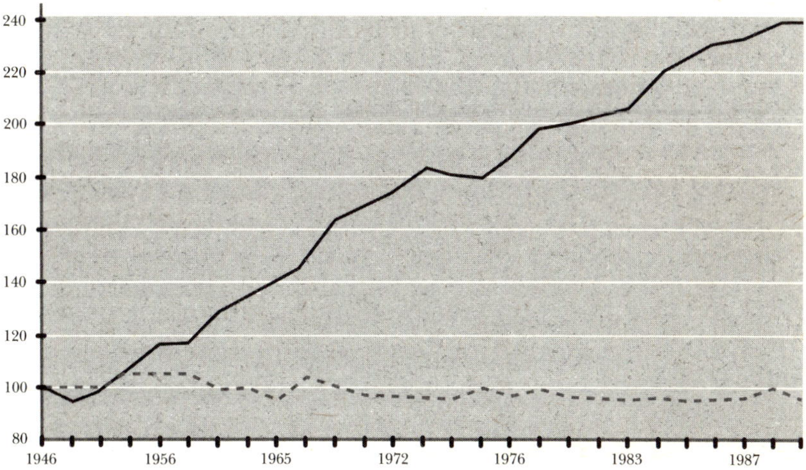

Fonte: Diener et al. "Subjective well-being". *Psychological Bulletin* 125 (1999), p. 288.

Renda per capita e felicidade: Japão

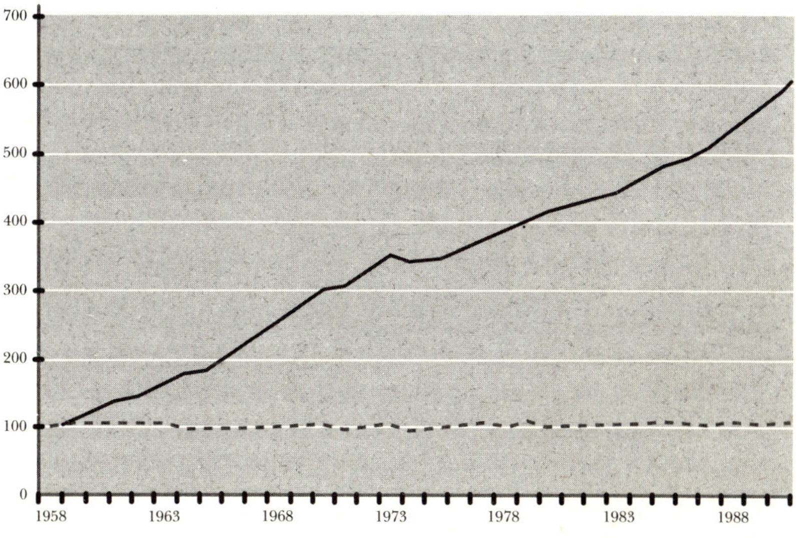

Fonte: Frey e Stutzer. *Happiness and economics.* Princeton, 2002, p. 9.

—— renda per capita - - - - bem-estar subjetivo

• Embora exista um vínculo positivo entre felicidade relatada e nível de renda pessoal dentro de cada país, ou seja, há uma proporção maior de felizes entre os mais ricos, o impacto de aumentos da renda pessoal em termos de bem-estar subjetivo tende a ser forte somente para as faixas de menor renda na sociedade, declinando sensivelmente a partir de patamares um pouco mais altos (cerca de US$ 20 mil anuais no caso americano). Curiosamente, o vínculo entre renda e felicidade volta a ficar fortemente positivo quando se atingem níveis ainda mais elevados de renda (cerca de US$ 80 mil anuais).

• Os desempregados involuntários apresentam taxas significativamente maiores de infelizes, suicidas e parassuicidas do que a média da população, mesmo em países com generosos sistemas de salário-desemprego e mesmo que se controle o efeito da perda de renda; os aposentados, entretanto, apesar de não possuírem emprego, relatam níveis de satisfação com a vida ligeiramente acima do verificado entre os que estão empregados e trabalhando.

• Uma pesquisa de opinião feita em 1999 com cerca de 3 mil mulheres em onze países revelou que 93% das entrevistadas acreditam estar em melhor situação do que estavam as suas avós no tocante a direitos e oportunidades; em contrapartida, a maioria delas (54%) não se considera mais feliz do que teriam sido as mulheres na geração de suas avós.

• Um estudo clássico realizado com ganhadores de prêmios vultuosos em loterias (média em torno de US$ 500 mil) constatou que, passado o "pico" da euforia momentânea, os ganhadores não apresentavam níveis de bem-estar subjetivo distintos dos verificados entre os não-ganhadores e relatavam menor grau de prazer do que antes do prêmio ao realizar seis afazeres comuns do dia-a-dia; efeito simétrico foi observado em prisioneiros condenados a confinamento solitário: após um período inicial de "inferno mental" de cerca de 72 horas, eles passaram a considerar a experiência bastante tolerável.

• Existe um forte vínculo positivo entre saúde e bem-estar subjetivo; ocorre, porém, que ele somente se mantém quando o indicador de saúde utilizado é a percepção que a própria pessoa tem do seu estado de saúde: a correlação se enfraquece ou desaparece por completo quando o indicador utilizado é a avaliação feita pelos médicos sobre o estado de saúde daquela pessoa ou, ainda, a freqüência com que ela precisou consultar serviços médicos ou ser hospitalizada; em suma: as crenças do indivíduo sobre a sua própria saúde têm maior grau de correlação com a sua felicidade do que os indicadores objetivos de saúde.

Fatos como estes — e diversos outros

poderiam ser arrolados — dão o que pensar. A noção de racionalidade tem a ver com a escolha dos meios adequados para a obtenção de um determinado fim. A ação racional é aquela que, dadas as restrições de recursos e conhecimento disponíveis, identifica, mobiliza e aplica o melhor método existente para alcançar o objetivo pretendido. Mas o fato de uma ação ser racional não quer dizer que ela será capaz de atingir o alvo. O avanço do conhecimento pode revelar que ações que pareciam perfeitamente racionais na busca de determinado fim, dado o que se supunha conhecer sobre o mundo, na verdade não o são. (Um exemplo: se os médicos têm razões para crer, no momento t_1, que o remédio A cura a moléstia B; mas depois se descobre, em t_2, que ele provoca o efeito colateral C, pior que B, então a prescrição de A era racional em t_1, mas deixa de sê-lo em t_2.)

A felicidade sempre foi e continua sendo um grande fim, se não a finalidade suprema, em nome do qual se justificam escolhas na vida pública e privada. Assim como a saúde está para a medicina, o *pursuit of happiness*, o *bonheur public*, a *felicitá pubblica* seria o objetivo maior frente ao qual toda a maquinaria do processo político, social e econômico constituiria tão-somente um meio adequado e ao qual estaria subordinada. O economista Irving Fisher — amplamente reconhecido como o maior cientista econômico americano de todos os tempos — é claríssimo sobre isso. Toda atividade produtiva, ele argumentou, "e todas as transações monetárias que dela decorrem derivam a importância que possuem somente na condição de preliminares úteis e necessárias da renda psíquica — da satisfação humana [human enjoyment]". De Petty e Turgot, no século XVIII, a Keynes, Friedman e Samuelson, poucos economistas dignos de nota discordariam.

O programa de pesquisa sobre os determinantes do bem-estar subjetivo está abrindo à visitação pública a "caixa-preta" das experiências psíquicas das mentes individuais. Mas se é verdade, como tantos acreditam, que o desempenho econômico importa e faz sentido somente na medida em que propicia o aumento da felicidade, então há algo problemático e perturbador nas evidências sobre o que vem ocorrendo com a renda psíquica nos países ricos.

A pergunta que fica é: por que a relação entre indicadores objetivos e subjetivos de bem-estar se revela tão caprichosa? A riqueza material e as condições objetivas de vida são um bom indicador do bem-estar de uma sociedade? Como interpretar a pletora de aparentes anomalias que os estudos empíricos sobre a felicidade e a psicologia do prazer vêm produzindo? Na vida pública, assim como na pessoal, os meios escolhidos estão conduzindo aos fins desejados?

ALEX: Inversão de papéis, Otto. Quem cobra esclarecimentos agora sou eu. O seu texto levanta vários pontos substantivos intrigantes, mas a questão metodológica ficou zunindo na minha cabeça como uma mosca irritante. O velho Aristóteles, que aliás você citou com ótimo humor, recomendava que não se deve esperar mais precisão acerca de um assunto ou tópico de pesquisa do que a natureza do objeto admite: a ética e a psicologia, por exemplo, não se prestam ao método rigorosamente dedutivo da geometria euclidiana. A idéia de medir empiricamente o grau de felicidade das pessoas e a sua evolução ao longo do tempo me pareceu uma tentativa de dar mais precisão ao assunto do que se pode esperar dele. Além disso, tenho sérias dúvidas sobre a confiabilidade das respostas que as pessoas dão a enquetes de opinião como estas que você reportou.

MELO: Eu também fiquei com essa dúvida. Aliás, lendo o texto, foi impossível não lembrar daquela passagem da *Autobiografia* de John Stuart Mill em que ele afirma: "Pergunte-se a si próprio se você é feliz, e você deixa de sê-lo". Ou como diria o nosso Fernando Pessoa, "por que é que, para ser feliz, é preciso não sabê-lo?". Boa parte dos entrevistados nas pesquisas, pelo jeito, não concorda. Mas você não acha que o simples fato de se perguntar a alguém se está feliz ou satisfeito com a sua vida já não acaba alterando e interferindo na resposta?

OTTO: Vamos por partes. Como disse no nosso primeiro encontro, Alex, eu não sou o positivista crasso que você estava pintando. A interdição da subjetividade que prevaleceu em certos meios acadêmicos no auge do positivismo e do behaviorismo foi um desastre para a filosofia, a economia e as disciplinas da área de humanas em geral. Uma coisa, porém, é rever e abandonar o tabu de que a experiência interna do homem não importa ou não existe; outra é saber como lidar com a dimensão subjetiva da realidade de um modo consistente e cientificamente aceitável. Os problemas são ponderáveis e eu seria a última pessoa no mundo a menosprezá-los. Duvidar, eu sempre digo, é um dever científico; mas buscar soluções e continuar tentando também é. Deixe-me tentar responder às questões de método que você levanta, começando pela última.

As respostas são confiáveis? O que as pessoas dizem sobre o que sentem acerca de suas vidas corresponde a um fenômeno real, a alguma coisa sobre a qual podemos fazer inferências válidas sobre o mundo? Com toda a franqueza, *não sei*. E também ficaria muito desconfiado se alguém alegasse saber. O problema maior, creio, não é uma improvável falta de sinceridade nas respostas. Não há razões para mentir em pesquisas de opinião nas quais não se identifica pelo nome o entrevistado. As reais dificuldades são de ordem cognitiva e de comunicação.

É muito provável, por exemplo, que estados de ânimo passageiros, induzidos por acontecimentos de caráter coletivo (atentados terroristas, Copas do Mundo, "corralitos" etc.) ou pessoal ("perdi o ônibus e a esperança"), dominem as avaliações globais sobre a vida que se tem. Há um trabalho magnífico que demonstra como até mesmo a seqüência específica das perguntas feitas num questionário pode alterar o teor das respostas. Assim, por exemplo: se você pergunta ao entrevistado, *primeiro*, até que ponto a saúde é importante para a felicidade e, *logo em seguida*, se ele se considera feliz com a vida que tem, as respostas obtidas serão diferentes do que teriam sido se a ordem das perguntas fosse invertida. O silogismo induzido pela primeira seqüência é perfeito: se a saúde é muito importante para a felicidade e se eu tenho a sorte de ter ótima saúde, então sou feliz. A ordem dos fatores altera o produto. A informação é capciosa.

A questão da confiabilidade, concordo, é um vespeiro. Mas nem tudo está perdido. Parte dos problemas a lei dos grandes números resolve. É mais fácil saber quantos acidentes de automóvel ocorrem por ano em média numa grande cidade do que quantos deles ocorrerão num dia específico ou quem exatamente serão as vítimas em determinado ano. As particularidades acidentais de contexto e as idiossincrasias pessoais que afetam as respostas sobre o grau de felicidade tendem a ser eliminadas à medida que o número de observações aumenta, ou seja, à medida que as pesquisas são repetidas em diversos anos, nos mais diferentes contextos coletivos e tomando por base distintas amostras probabilísticas da população estudada. Ao filtrar ruídos fortuitos e distorções ocasionais, a lei dos grandes números permite apurar com razoável precisão estatística os *padrões* de maior permanência nos dados coletados.

O mais importante, entretanto, é que as evidências

de bem-estar subjetivo baseadas em respostas individuais sobreviveram a numerosos *testes de validação*. As pessoas que se declaram "muito felizes" nas pesquisas possuem atributos observáveis que podem ser tomados como indicativos de felicidade: elas tendem a ser classificadas como felizes por seus parentes e amigos; sorriem com maior freqüência; têm maior propensão a renovar os contatos sociais com amigos; faltam menos ao trabalho; apresentam menor incidência de sintomas físicos associados a estresse e têm menor probabilidade de morte prematura ou de cometer suicídio. Tudo isso está longe de ser uma prova conclusiva de que as respostas obtidas refletem o verdadeiro grau de felicidade das pessoas, mas creio que é uma boa primeira aproximação da questão. O fato de a felicidade ser uma experiência subjetiva não significa que nós não devamos buscar a máxima objetividade possível na tentativa de compreendê-la.

ALEX: Mas você há de convir que, por mais que se avance no caminho da objetividade, existem obstáculos e limites intransponíveis no percurso... Até onde se pode chegar por essa via? E o que você entende por "verdadeiro grau de felicidade"?

OTTO: É difícil saber até onde se vai chegar. Pense o seguinte. No passado, a sensação de frio ou calor era algo inteiramente subjetivo e baseado na impressão do sujeito. Cada um tinha a sua. Podia estar quente para um, mas frio para outro — e os dois tinham razão! Então veio o termômetro. O que parecia inapelavelmente subjetivo e pessoal passou a ter uma medida objetiva e impessoal. Se um está com frio e o outro sente calor, ninguém pode duvidar do que eles estão sentindo; mas pelo que o termômetro está indicando um deles deve estar com o termostato biológico desregulado.

Talvez consigam inventar algum dia uma espécie de termômetro para medir a intensidade das sensações de prazer e bem-estar — um "hedonômetro" (derivado do grego *hedoné*: prazer + *metrón*: instrumento para medir), como sugeriu certa vez o economista irlandês Edgeworth. O que já se sabe é que, além do que referi há pouco, existe também uma correlação positiva entre o grau de felicidade declarada das pessoas e certas configurações cerebrais mensuráveis, como maior concentração do neurotransmissor dopamina e maior atividade elétrica na região pré-frontal do cérebro. Se o meu prazer ao comer chocolate ou ao ouvir a *Sinfonia Praga* de Mozart é parecido com o seu, duvido que a ciência algum dia responda. Mas se eu disser que detesto, digamos, dormir até tarde pela manhã, ao passo que o hedonômetro está informando exatamente o contrário, bem, é sinal de que alguma coisa está mal explicada.

Suspeito que ainda teremos enormes surpresas à medida que a neurociência e o estudo das relações cérebro-mente forem avançando. Quando eu lembro que a humanidade precisou de centenas de milhares de anos para descobrir algo tão banal — ao menos em retrospecto — como a circulação do sangue, fico imaginando a imensidão do que ainda desconhecemos. "Chegará o tempo", dizia Sêneca, "em que a posteridade ficará assombrada de que fôssemos ignorantes de coisas tão manifestas." O vaticínio de Sêneca encerra o dom da eterna atualidade.

ALEX: Mas o que você *não* disse, Otto, é o mais importante. Que a prática científica depende de um acordo ético que a ciência por si mesma não estabelece, nós já discutimos no outro encontro. Mas há uma coisa ainda mais fundamental que isso, e é por aí que eu gostaria de avançar na discussão das questões que você propõe no texto. O que a ciência nunca fará por nós — e isto não importa quanto ela avance ou deixe de avançar — é *escolher* o uso que faremos do poder que o conhecimento confere e o que pretendemos, afinal de contas, fazer de nossas vidas.

O economista Frank Knight, que se graduou em filosofia antes de se tornar, ao lado de Jacob Viner, um dos pais da conhecida Escola de Chicago, põe o dedo no nervo do problema: "A visão científica da vida é uma visão limitada e parcial; a vida é no fundo uma prospecção no terreno dos valores, uma tentativa de descobrir valores, em vez de, com base no conhecimento deles, produzir e desfrutá-los ao máximo. Nós nos esforçamos para 'nos conhecermos a nós mesmos', para descobrir os nossos reais desejos, mais do que para obter o que queremos. Este fato define uma primeira limitação de amplo alcance a uma concepção da economia como ciência".

Os economistas gostam de pressupor em seus modelos, como se fosse a coisa mais simples do universo, que todos os "agentes" sabem exatamente o que preferem e o que procuram na vida e, ainda por cima, que eles agem invariavelmente de modo a maximizar a sua "utilidade" ou bem-estar. Ao fazerem isso eles estão, na verdade, apenas facilitando demasiadamente as coisas para si mesmos. Eles estão jogando tênis com a rede da quadra abaixada.

O ponto central que o texto de hoje levanta, penso eu, não é tanto a questão de saber se as respostas dadas nas pesquisas refletem algo de genuíno sobre o bem-estar subjetivo da sociedade. A questão crucial é *ética*, não metodológica. O que as evidências e anomalias apresentadas nos levam a crer é que as pessoas — e acho que me incluo nisso — não sabem muito bem *por onde ir* na busca da felicidade, ou seja, parecem não saber o que poderia torná-las mais felizes.

Até certo ponto — quem discordaria? — isso é inevitável, salutar até. A inscrição do templo de Apolo — *conheça-se a si mesmo* — também carrega o dom da eterna juventude. O problema é que parece que ficamos atolados no caminho, girando em falso, afundando no desperdício e na frustração à medida que nos agitamos para tentar sair. É como se estivéssemos presos a uma espécie de jogo infernal em que corremos cada vez mais depressa, com excessivo estresse e sofreguidão, para simplesmente não sair do lugar. Pior: para descobrir que fomos parar onde não queríamos.

OTTO: Devagar com o ardor, Alex. Afinal, aonde você pretende chegar? Dá para ser um pouco mais direto e específico no que você está dizendo?

ALEX : Explico-me. Veja só. Do ponto de vista individual, como os dados revelam, faz todo o sentido para cada pessoa separadamente tentar subir na vida. Há uma proporção maior de indivíduos felizes entre os mais ricos do que entre os mais pobres. Se o dinheiro compra felicidade, sobretudo para quem ganha menos, e se eu quero ser feliz, então vou atrás do dinheiro. É uma escolha racional. Mas aí você examina o resultado agregado, ou seja, o efeito geral produzido por estas escolhas e constata algo estranho. A sociedade como um todo ficou mais rica, praticamente todos subiram na vida (ainda que alguns mais do que outros), mas a proporção de pessoas que se declaram felizes e infelizes se manteve teimosamente no mesmo lugar. A sociedade prosperou, mas a felicidade geral estancou. O que parecia racional para cada um isoladamente, dado o objetivo de ser mais feliz, não redundou em algo racional para todos ao mesmo tempo.

Pegue o caso americano, sempre um banquete de mil talheres. "Em comparação com 1957", reporta um artigo no *Psychological Science* (1995) citado num dos textos de apoio que o Otto nos deu, "os americanos possuem duas vezes mais carros per capita — além de fornos de microondas, tevês coloridas, videocassetes, aparelhos de ar condicionado, secretárias eletrônicas e US$ 12 bilhões em pares de tênis de grife novos por ano. Os americanos, portanto, estão mais felizes do que em 1957?" Resposta: "Não estão". O todo é menor que a soma das partes! O que está acontecendo?

LEILA: O absurdo da situação é patente. Faz lembrar aqueles hamsters enjaulados em esferas rotatórias: quanto mais correm, mais depressa a roda gira, mas eles não saem do lugar. O meu caçula ganhou um desses de aniversário. Que presente de mau gosto! Pensei em devolver na loja, mas ele insistiu tanto que acabou ficando... Como é que você explica uma situação dessas, Alex?

ALEX: A explicação não é minha, mas é a melhor que

encontrei e tem um ótimo pedigree intelectual. Primeiro, o óbvio: as pesquisas sobre felicidade mostram que a satisfação de certas necessidades básicas, como nutrição e moradia, tem forte impacto positivo no bem-estar subjetivo das pessoas nas mais diversas culturas. Isso é universal. Daí que acréscimos de renda sejam vitais para quem parte de um nível de renda absoluta muito baixo.

Mas a partir de certo ponto, ou seja, quando as necessidades biológicas primárias foram satisfeitas, as pessoas passam a prestar mais atenção e a se preocupar com outras coisas. O que importa já não é tanto a renda absoluta, mas a *renda relativa* — a situação em que elas estão na comparação com os demais. O que passa a importar crescentemente agora é como a pessoa se percebe diante dos outros, diante do seu grupo de referência, diante daqueles cujo sentimento e opinião contam para ela. Ela quer saber como está, aos seus próprios olhos, em relação aos outros; e ela quer saber como eles irão percebê-la, isto é, como ela se sairá aos olhos deles, quando se compararem a ela.

Resolvida, portanto, a questão dos bens primários, começam a entrar em cena os chamados *bens posicionais* — a pletora infinita dos tênis de grife desta vida, ou seja, os bens cujo valor reside precisamente no fato de que eles são socialmentes escassos, visto que a grande maioria não dispõe (por enquanto) de renda para adquiri-los. "Para a maior parte das pessoas ricas", observa o insuspeito Adam Smith, "a principal fruição da riqueza consiste em poder exibi-la, algo que aos seus olhos nunca se dá de modo tão completo como quando elas parecem possuir aqueles sinais de opulência que ninguém mais pode ter a não ser elas mesmas." Os ricos se orgulham da sua riqueza, mesmo que ela tenha sido obtida por meios pouco ou nada admiráveis, enquanto os pobres se envergonham da sua pobreza, mesmo que não haja nada do que se envergonhar no modo como ganham o pão. É por isso que, quase sem nos darmos conta — e não só no sentido literal, é claro — vivemos "a exibir nossas riquezas e a esconder nossa pobreza". Vocês por acaso conhecem alguém que, seguindo o preceito do Buda, oculte das pessoas o que tem de bom e as deixe ver apenas o que tem de mau?

O grande conquistador veneziano Casanova, mestre incomparável dos segredos e artimanhas da sedução, abre o jogo em suas *Memórias*. Com nove de cada dez mulheres que conseguiu seduzir, ele confessa, foi o manejo habilidoso do dinheiro que abriu as portas do triunfo — o dinheiro pelo que ele simboliza e por tudo o que proporciona de doce e amável. O poeta latino Petrônio, retratando a psicologia moral dos ricaços da Roma antiga, põe na boca de um deles: "Só me interessam as posses que despertam no populacho a inveja de mim por possuí-las". O ardil repugna, mas tem sua lógica — o populacho é cúmplice. Se os pobres simplesmente rissem e escarnecessem da riqueza e da ostentação dos ricos, o circo desabaria.

O ponto crítico, contudo, onde a roda da felicidade pega, é que, ao contrário da renda absoluta, a renda relativa jamais poderá melhorar *para todos ao mesmo tempo*. É como a primeira classe num avião de carreira: o número de assentos é fixo; se novos passageiros vierem ocupá-los, os atuais terão que se acomodar mais atrás. Na competição por status, preeminência e prestígio — "por um lugar de honra na mente dos nossos semelhantes" —, o sucesso de alguns é, por definição, o fracasso da maioria. O prazer que sinto ao beber um copo de leite em nada depende do fato de a cidade inteira estar (ou não) tomando leite. Mas o prazer que experimento ao dirigir a minha BMW ou ao aparecer na coluna social ao lado do ministro ficará seriamente abalado se todos os carros da cidade amanhecerem trocados por BMWs iguais à minha ou se a coluna publicar fotos do tal ministro ao lado de todos os que estiveram no último Fla-Flu.

O poder do dinheiro no meu bolso está longe de ser somente o litro de leite e o conforto que ele compra. Ele é também a falta relativa de dinheiro no bolso dos demais. O acesso a bens primários traz ganhos líquidos de renda psíquica. Na competição por bens posicionais, ao contrário, os apetites se estendem ao infinito e a escassez está sempre sendo recriada. A moeda escassa nesse jogo sisifista de soma-zero é a atenção respeitosa, a disposição favorável e o afeto alheios.

A melhor analogia aqui, para concluir o raciocínio, é com a corrida armamentista entre dois países: eles investem cada vez mais em armamentos e, no entanto, se percebem cada vez mais inseguros! Nenhum deles pode parar de investir, porque senão o outro vence. Mas se eles confiassem um no outro e conseguissem suspender a corrida, então eles poderiam reorientar os recursos gastos em armas para outros fins e, ainda por cima, passariam a se sentir mais seguros. Será que não estamos vivendo algo parecido? Não estaremos, como os hamsters da Leila, girando em falso na roda de uma felicidade ilusória? Atarantados e atolados até o pescoço numa espécie de *corrida armamentista do consumo*?

LEILA: Mas você não vê a possibilidade de alguma forma de aprendizado nesse processo? O aumento da afluência e da segurança material não criam as bases para uma mudança de valores na sociedade? Eu enxergo a armadilha que você descreve, mas discordo da idéia de que estejamos condenados a viver assim indefinidamente. As pessoas, afinal, não são hamsters. Elas aprendem com os seus erros. A própria repetição desse jogo macabro que não leva a nada, as enormes frustrações que ele inevitavelmente produz, terão que acabar algum dia levando a um efeito pedagógico, a algum tipo de mudança...

ALEX: Isso é o que eu também gostaria de acreditar, Leila, mas não é o que a lógica pura da situação sugere. Note o seguinte. Se nós admitirmos, como as evidências indicam e o senso comum reforça, que a pessoa busca a sua felicidade, e que a chance de ser feliz é maior para quem está no topo da pirâmide de renda, então a ação racional do indivíduo será escolher o meio adequado para chegar lá. Ele tentará ingressar no clube dos mais ricos e fará isso *independentemente do que os demais estiverem fazendo.* Se os outros desistirem, melhor para ele, pois a competição será menor. Mas se os outros estiverem na lide, suando de esforço nas suas rodinhas, então ele não poderá se dar ao luxo de ficar parado — o preço seria ficar muito para trás. Acontece que, se todos pensarem e agirem assim, ou seja, escolherem aquilo que é mais racional para si, a corrida armamentista jamais chega ao fim.

A única possibilidade de sair da armadilha, sem alguma forma de intervenção externa que restrinja a liberdade individual, seria uma mudança de valores, um pouco na linha do que você esboçava. Há quem acredite que isto já esteja ocorrendo hoje em dia, de forma mais ou menos espontânea, nos países ricos. Seria o surgimento de uma sociedade "pós-materialista" ou, como apregoa o historiador econômico Robert Fogel em *The fourth great awakening*, a emergência de uma agenda ético-política pós-moderna para o século XXI — o que ele chama de um novo "grande despertar" —, na qual o desenvolvimento dos recursos espirituais teria primazia frente às questões de ordem estritamente econômica que dominaram a agenda a partir do século XVIII. Entre os objetivos centrais da nova agenda, aponta Fogel, estariam "a luta pela auto-realização", "a educação não apenas para fazer carreiras mas para valores espirituais" e "o desejo de encontrar um sentido mais profundo na vida do que a interminável acumulação de bens de consumo e a busca do prazer".

Apesar da minha total simpatia (e torcida) por visões desse tipo, confesso que a repetição desse mesmo enredo me deixa um tanto cético. O fato é que visões de futuro como essas do Fogel e de alguns outros autores contemporâneos vêm se sucedendo com regularidade desde a Primeira Revolução Industrial...

MELO: Só um rápido parêntese, Alex, antes de você concluir, mas o problema que você aponta tem de fato raízes bem remotas. Para dar só um exemplo, veja o que dizia o poeta latino Horácio — e isso muitos séculos antes de alguém inventar esse maldito pau para toda obra que é o termo "capitalismo" — em uma de suas sátiras: "Em conseqüência da cobiça invejosa, poucos são os que podem dizer que tiveram uma vida feliz [...] Será mesmo necessário que todos, por causa da ganância, vivam contrariados consigo mesmos e invejosos dos que têm outras ocupações?". É exatamente a pergunta que a Leila estava formulando.

ALEX: Pois é. A história é antiga. Será que vai ser diferente desta vez? Francamente duvido. Deixe soprar o vento gélido de uma recessão, ainda que moderada, e aí então veremos o que sobra desta brisa cálida e aconchegante de pós-materialismo. Suspeito que a pergunta feita por Keynes em 1927 — "Por que não deveríamos começar a colher os frutos espirituais de nossas conquistas materiais?" — seja forte candidata ao nosso rol das sentenças dotadas do dom da eterna atualidade.

LEILA: Mas se a mudança não vier por bem, ela virá por mal. Eu estava ouvindo atenta o que você falava, Alex, e fui sendo tomada de um desconforto que só aos poucos fui capaz de explicar a mim mesma. Em que planeta estamos?! Nós conversamos, esgrimamos, elucubramos. Tudo muito civilizado, tudo como combinado no início. Mas é como se estivéssemos encastelados em alguma torre de marfim, ao pé de uma lareira em Oxford ou Princeton, ruminando sobre "o tumulto inconsciente em que anda a humanidade de uma a outra banda" e mais preocupados com o tédio e a obesidade dos que desfilam em BMWs do que com o sofrimento, a insegurança e a fome dos que seguem descalços por caminhos pedregosos. Não se preocupem. Não vou fazer demagogia barata preenchendo o vazio espiritual dos ricos com o estômago vazio dos miseráveis. Mas um *modicum* de realidade e um pouco de senso de proporção não fazem mal a ninguém.

É bom saber que o crescimento econômico não compra felicidade — que ele tem um "retorno marginal decrescente", como diria o Otto. Mas isso, como ele também mostrou, é só para os países que romperam a barreira dos US$ 10 mil anuais per capita. Agora vejam o estado em que o mundo terminou o século XX. Nos países ricos da América do Norte, da União Européia, da Oceania e no Japão, onde vivem cerca de 900 milhões de pessoas, a renda média por habitante gira em torno de US$ 26 mil anuais. No restante do mundo, isto é, nos chamados países em desenvolvimento da Ásia, da África, da América Latina e do Leste Europeu, onde vivem 5,1 bilhões de habitantes, a renda per capita está na casa dos US$ 3,5 mil ao ano.

Se considerarmos os países mais pobres do mundo, nos quais residem 2,4 bilhões de seres humanos, a renda média por habitante não passa de míseros US$ 1,9 mil anuais. O fato espantoso é que o grau de desigualdade no nível de renda *entre* os países do mundo é maior do que a desigualdade de renda existente *dentro* de qualquer país do planeta (Brasil incluído). Em termos de distribuição de renda, o mundo é um lugar mais desigual do que o mais desigual lugar do mundo.

OTTO: Mas tudo isso, Leila, só reforça o argumento de como, inclusive do ponto de vista do bem-estar subjetivo, o objetivo do crescimento econômico permanece absolutamente prioritário para o grosso da população mundial. Vá explicar num vilarejo perdido lá da África subsaariana que a riqueza não traz felicidade e que, no fundo, "a pobreza resulta do aumento dos desejos do homem e não da redução das suas posses"...

LEILA: Eu tinha certeza de que você diria isso, Otto. Fiz até uma pausa proposital para que você entrasse. Só que antes de passarmos para o campo do que *deveria ser*, como você já ia fazendo, me permita gastar mais um tiquinho do nosso tempo chamando a atenção para o que vem sendo, quer dizer, para *o que é*. Dois pontos apenas.

O primeiro é que o fosso entre países ricos e pobres está *crescendo*. De 1830 para cá, a renda per capita das nações hoje chamadas ricas se multiplicou por dezesseis, ao passo que o nível de renda média do resto do mundo "apenas" triplicou. Mesmo nas últimas décadas, a distância continuou a aumentar. Enquanto nos países ricos a renda por habitante subiu 2,4% ao ano em média entre 1965 e 1995, no mundo como um todo ela cresceu 1,6%. Das regiões menos desenvolvidas, o Leste Asiático foi a única que conseguiu, nesse mesmo período, encurtar a distância que a separa do pelotão dos ricos.

O outro ponto tem a ver não com a renda gerada, mas com a energia e o patrimônio ambiental consumidos na sua geração. Os países ricos absorvem aproximadamente metade da energia comercial utilizada por ano no planeta. Isso significa que um habitante desses países consome em média cinco vezes e meia mais energia do que alguém no restante do mundo (um americano gasta oito vezes mais). O outro lado dessa moeda é a emissão de gases tóxicos. Quase a metade do dióxido de carbono despejado anualmente na atmosfera é gerada pelos países ricos. Isso significa que as emissões per capita desses países são em torno de cinco vezes maiores do que nos países em desenvolvimento (o americano típico libera dezoito vezes mais dióxido de carbono por ano do que um indiano e sete vezes mais do que um chinês). Para se ter uma idéia, só de 1950 para cá o grau de concentração de carbono na atmosfera do planeta subiu mais do que nos dois séculos precedentes, ou seja, já em plena era industrial.

A questão é: *em que direção nós estamos indo coletivamente*? Que o crescimento é fundamental nos países de baixa renda, Otto, ninguém em sã consciência poderia negar. Mesmo aqui, porém, eu não faria um fetiche dos tais US$ 10 mil — a necessidade de renda monetária não é a mesma na Irlanda ou no Taiti, e isso pelo simples fato de que nos ambientes tropicais onde "o mero existir é um prazer" se gasta menos com aquecimento, vestuário, moradia e consumo de calorias.

Mas o ponto crítico não é esse. O homem é parte do mundo natural e a economia é um subsistema da biosfera. No século XX, surgiram sinais inequívocos de que estamos nos aproximando rápida e perigosamente dos limites desse sistema maior. Imagine agora o que seria da espécie humana se a Índia e a China, com um terço da população mundial, insistissem no *direito* de consumir um terço dos recursos naturais do planeta e lançassem de volta um terço dos resíduos sólidos, líquidos e gasosos. Imagine se os domicílios indianos e chineses passassem a ter dois automóveis em média nas suas garagens, 2,2 aparelhos de tevê, freezers, aparelhos de ar condicionado e tudo o mais. Imagine a corrida armamentista de que o Alex falava, só que não mais em escala restrita aos países ricos, mas em escala verdadeiramente global.

É por isso que eu digo que se a mudança de valores não vier por bem, ela virá por mal. Se os bilhões de "excluídos" do planeta insistirem em conceber a busca da felicidade como "a interminável acumulação de bens de consumo", para usar a expressão do Fogel sobre os seus conterrâneos, então o meio ambiente natural e a biosfera não suportarão o desaforo. O limite irá se *impor* de fora para dentro.

Mas o que é mais grotesco nisso tudo é que a corrida armamentista do consumo, ainda por cima, *não leva ao que promete.* Há um equívoco monstruoso nessa idéia, tão cara aos economistas desde Adam Smith, de que a auto-realização humana se resolve na esfera do consumo, ou seja, por meio da satisfação de apetites que se multiplicam como coelhos e da gratificação indiscriminada dos sentidos. A falência do modelo iluminista-faustiano é dupla: ele não é generalizável em escala global e ele também falha nos seus próprios termos, ou seja, ele nos ilude ao acenar com uma promessa de felicidade que jamais se cumpre. A corrida rumo a lugar algum em que estamos metidos é muito mais que o efeito conjunto das ilusões, vaidades e auto-enganos que nos movem como indivíduos. Ela é um impulso coletivamente suicida.

MELO: Que pena, Leila, eu estava prestes a dizer que tinha enorme simpatia por tudo o que você estava dizendo, ainda que sem muita clareza quanto às reais implicações do seu argumento, quando de repente, como que por um cacoete, você colocou Adam Smith na parada. Aí não dá. É uma questão menor, concordo, e você não está sozinha; mas não deixa de ser uma flagrante injustiça vinda de alguém tão ciosa de justiça. Revire a obra de Adam Smith de cabo a rabo, levante *tudo* o que ele escreveu sobre a felicidade e sua relação com o progresso econômico e civilizatório — você ficaria espantada em descobrir como ele estava à frente do iluminismo ao qual pertencia e afinado a certas tendências da ética estóica e epicurista que, conforme venho notando, são muito do seu agrado. Como o tempo é exíguo e o Otto já anda consultando o relógio, serei brevíssimo.

O fato é que Adam Smith jamais confundiu a *riqueza* das nações com a *felicidade* das nações. Com a exceção dos miseráveis, ele acreditava que o contentamento e a dor, ao contrário da renda e do poder, estavam distribuídos de forma razoavelmente equânime entre as diversas classes da sociedade e que "naquilo que constitui a verdadeira felicidade da vida humana, eles [os pobres] em nada se encontram numa situação inferior à daqueles que pareceriam estar tão acima deles".

A verdadeira felicidade, ele sustentava, mora mais na imaginação das pessoas e na obtenção de uma certa tranqüilidade de espírito do que na satisfação ilusória da vaidade associada a níveis maiores de renda e consumo. Embora cético quanto ao papel da riqueza na felicidade dos homens, Adam Smith soube reconhecer e analisar com maestria a força do seu apelo na psicologia moral do animal humano. Os pobres, como disse o Alex, não riem da ostentação dos ricos: miram deslumbrados e perseguem o luxo-troféu que lhes escapa. Dessa crença ilusória (*deception* é o termo que ele usava) se alimenta o progresso das nações. Mas os sentimentos morais do autor da *Riqueza das nações* eram outros. Como resume Alfred Marshall: "Adam Smith seria a última pessoa no mundo a pensar que a riqueza é o objetivo da vida humana, a última a supor que os ideais de uma vida elevada devessem ser subordinados ao crescimento da riqueza material por qualquer indivíduo ou nação que se auto-respeita".

LEILA: A sua erudição, Melo, é a minha desgraça; mas você não disse ainda o que pensa das questões que levantei.

MELO: Pois é, Leila, ia chegar lá. Quanto à sustentabilidade ecológica do atual modelo, nos moldes em que ele hoje está definido, concordo que é uma questão de primeiríssima ordem, compartilho inteiramente da sua ansiedade, mas é um assunto sobre o qual não me sinto competente para opinar. Digo apenas o seguinte: você deveria talvez evitar um certo tom de milenarismo ecológico, como se a humanidade estivesse sempre suspensa à beira de um abismo apocalíptico. Pode até ser o caso, não sabemos, mas os pânicos e alarmes falsos foram tão freqüentes nas últimas décadas que um mínimo de cautela e humildade é recomendável. O problema desse falso alarme permanente é que ele mina a credibilidade do movimento ecológico. A pesquisa científica e a inovação tecnológica poderão dar resposta a desafios que hoje nos parecem insolúveis...

OTTO: Este é um assunto sobre o qual tenho alguma experiência. Meu primeiro emprego como economista foi em plena crise energética, no final dos anos 70. Sou um veterano das profecias de catástrofe iminente. Depois da segunda ou terceira vez, a gente começa a adquirir alguns calos no cérebro. A humanidade tem recursos. Não dá para extrapolar com base no que aí está. O automóvel movido a hidrogênio, que está sendo desenvolvido nos laboratórios dos países ricos, vai permitir que ele chegue às garagens de bilhões de chineses e hindus sem onerar em demasia a atmosfera...

MELO: Mas também não acho que devamos descambar para uma atitude complacente, Otto. O fato de que essas profecias tenham se revelado falsas no passado, graças ao avanço tecnológico, não significa que será sempre assim no futuro. É a falácia da indução — todos os cisnes conhecidos eram brancos, até que um belo dia o cisne negro deu o ar de sua graça. Vai que uma profecia aterradora dessas é verdadeira. Só que aí poderá ser tarde demais. Concordo com a Leila. Quando se trata de ameaça ecológica, é melhor correr pela pista de dentro. É prudente não exagerar nos riscos. Por outro lado, será que o automóvel e a parafernália de gadgets da cultura americana irá promover a felicidade dos chineses e hindus? Volta e meia eu lembro de um button ecológico dos anos 70 que dizia "Technology is the answer! But what is the question?".

ALEX: Exatamente: *qual é a questão*? Eu queria voltar ao ponto central que é o da relação (ou falta dela) entre progresso e felicidade. Creio que o que a Leila falou e o que nós estávamos discutindo antes sugerem duas conclusões relevantes. A *primeira* é a de que o bem-estar não é necessariamente função da satisfação de um número maior de desejos ou preferências (para usar o termo caro aos economistas). E a *segunda* é a de que as pessoas não sabem ao certo o que desejam e, o mais grave, elas podem estar sistematicamente equivocadas acerca do que poderia torná-las mais felizes. Se isso é verdade, então o indivíduo não seria invariavelmente o melhor árbitro daquilo que é melhor para si, e isso mesmo do ponto de vista estreito do seu bem-estar subjetivo. Adam Smith, pelo que o Melo mostrou, não discordaria.

Considere por exemplo, para efeito de raciocínio, duas situações hipotéticas: A e B. Na situação *A*: Bentinho deseja que Capitu seja fiel, ela é fiel, mas ele acredita que ela não seja. E na situação *B*: Bentinho deseja que Capitu seja fiel, ela não é, mas ele acredita que ela seja. Em A, o desejo de Bentinho está sendo objetivamente satisfeito, mas ele não é feliz — é o inferno dos tolos. Ao passo que em B o seu desejo *não* está sendo satisfeito, mas ele é feliz — é o paraíso dos tolos. A percepção nem sempre é o fato; mas isso em nada desabona *o fato da percepção*. No ardiloso tabuleiro da busca da felicidade, o fato da percepção com freqüência vira o jogo. O que é preferível, A ou B?

MELO: Desculpe, Alex, mas não resisto. Vocês conhecem a definição de felicidade dada por Jonathan Swift? Ela é "a posse perpétua da condição de estar bem enganado; o estado pacífico e sereno de ser um tolo entre canalhas". Pobre Bentinho...

ALEX: Considerem agora o caso dos ganhadores de loteria no estudo clássico a que se refere o nosso texto de abertura. Eles imaginavam que o dinheiro do prêmio lhes permitiria satisfazer os seus sonhos de consumo e que isso os tornaria mais felizes. Não foi o caso. Passado o pico inicial de euforia, eles se *adaptaram* ao seu novo padrão de vida e, apesar de estarem satisfazendo uma quantidade muito maior de preferências de consumo, a sua felicidade média voltou a ser o que era antes, ou seja, regrediu à norma estatística da população.

Talvez a utilidade advinda do maior consumo propiciado pelo prêmio esteja sendo apenas o suficiente para compensar a "maldição dos ganhadores" — o custo de tantas fantasias e ilusões perdidas. "Quando os deuses querem nos punir eles atendem as nossas preces." Conseguir boa parte daquilo que desejamos pode nos deixar com *menos* do que tínhamos de início.

Os países ricos do mundo, Leila, são mais ou menos como os ganhadores de loteria do exemplo. Os seus habitantes satisfazem objetivamente uma infinidade de preferências de consumo, mas a felicidade não responde à altura. Aos olhos dos que acompanham de fora essa farra, imaginando à distância a vida de luxo e fartura que poderiam estar levando se lá estivessem, a incapacidade de traduzir tanta riqueza em felicidade só pode configurar uma situação de inferno dos tolos.

Os países de menor renda — aqueles que estão bem acima da miséria subsaariana mas longe ainda da afluência americana — seriam portanto como apostadores sonhando com tudo o que fariam se conquistassem o prêmio maior, em moeda forte, na grande loteria do crescimento econômico. A força dessa ilusão, como apontou Adam Smith, é poderosa: ela move montanhas e faz girar as rodas e engrenagens do progresso, além de estar causando seríssimos danos — em alguns casos irreparáveis — ao meio ambiente, como a Leila frisou. Felicidade, porém, é outra coisa.

"Existem poucas coisas que nós desejaríamos de forma intensa se nós soubéssemos realmente o que queremos", observa o moralista francês La Rochefoucauld. Perfeito. O problema é como provar da fruta sem mastigar a polpa. Como saber o valor do presente sem desembrulhar o pacote? O grande desafio implícito em seu argumento, Leila, poderia ser traduzido na seguinte questão: até que ponto é possível persuadir o apostador lotérico a se desfazer da felicidade ilusória do prêmio antes mesmo do sorteio em que ele sonha ser o grande felizardo? Como alertava Dorival Caymmi, em "Saudades da Bahia", "pobre de quem acredita na glória e no dinheiro para ser feliz". Será preciso, no entanto, "perder a Bahia" para "descobrir a Bahia?". E se Bahia ("terra da felicidade") não há mais?

OTTO: O nosso tempo por hoje, amigos, já se esgotou. Como coordenador da noite, no entanto, vou me permitir um breve comentário final. Vamos colocar as coisas um pouco mais em perspectiva. Apesar de todos os problemas que discutimos, não se pode perder de vista as conquistas feitas. A esperança média de vida ao nascer no mundo — incluindo os países de ínfima renda — aumentou mais nos últimos quarenta anos do que nos 4 mil anos precedentes. Ela passou de cerca de 53 anos em 1960 para 67 anos atualmente. Isto significa que quem nasce hoje em dia vive *em média* 122 mil horas ou 5083 dias a mais do que alguém nascido na nossa geração, ou seja, quatro décadas atrás. Ao mesmo tempo, o poder produtivo aumentou exponencialmente: a humanidade produz agora em dezessete dias o que o trabalho de nossos avôs e avós, há cerca de um século, produzia em um ano. Não é pouca coisa.

O século XX demonstrou que a liberdade individual, entendida como o mínimo de restrições à ação de cada um compatível com o direito a uma igual liberdade dos demais, possui não apenas *valor intrínseco,* pelo que ela significa do ponto de vista da autonomia e dignidade da pessoa humana, mas também um *valor instrumental,* pelo que representa em termos de ganhos de eficiência e criatividade no uso do conhecimento para a geração de riqueza material. A democracia e o mercado venceram a disputa com a autocracia e o planejamento central. Os grandes desafios do século XXI serão: a) mostrar que a liberdade individual é compatível com a preservação do equilíbrio ecológico do planeta no longo prazo, e b) que ela é capaz de favorecer, melhor do que qualquer esquema paternalista ou dirigista, o aumento do bem-estar subjetivo do ser humano.

O que parece ter ficado claro, apesar de nossas naturais divergências, é que, uma vez resolvidas certas carências básicas ligadas a bens de primeira necessidade, o desafio da felicidade se torna muito mais uma questão de psicologia e de ética do que propriamente de economia. Eu não iria tão longe quanto Mozart, a ponto de afirmar que "a felicidade existe *somente* na imaginação"; mas eu diria, sim, que a partir de certo nível de renda, felizmente não muito alto, ela passa a depender mais do temperamento e da fantasia do que do tamanho da casa e da conta bancária. A vida dos povos, não menos que a dos indivíduos, é vivida em larga medida na imaginação.

Que as pessoas estejam se sentindo perdidas e sem saber ao certo o que poderia fazê-las mais felizes, como discutimos hoje, não me parece ser tanto um problema quanto um indício de solução. Imaginem como estaríamos agora, caso tivéssemos concluído que os homens sabem, sim, exatamente o que querem, e que as suas preferências atuais refletem a palavra final sobre o que de fato os tornará felizes. O surpreendente descompasso entre os indicadores objetivos e subjetivos de bem-estar, não é descabido concluir, encerra uma semente de esperança. Temos muito chão pela frente.

TERCEIRO ENCONTRO

A domesticação do animal humano*

Hybris e nemesis. Os gregos antigos acreditavam na existência de um princípio regulador que zelava pela justa medida e punia qualquer forma de excesso nos afazeres humanos. A cada transgressão dos limites, fruto da arrogância, imoderação ou audácia excessiva (hybris), correspondia uma ação corretiva capaz de restaurar um certo equilíbrio no mundo por meio de punições, reveses e calamidades (nemesis). "A felicidade entre os homens", alerta Heródoto ao introduzir a sua monumental história das guerras entre gregos e persas, "jamais permanece por longo tempo no mesmo sítio." Os projetos e excessos humanos despertam a atenção e a cólera dos deuses. O espetáculo de uma felicidade plena ao alcance de simples mortais não tardava a atrair sobre si a força devastadora da inveja e do ciúme divinos.

(*) Como bibliografia de apoio para este encontro Leila sugeriu a leitura das seguintes obras: Arthur Lovejoy e George Boas, *Primitivism and related ideas in Antiquity*, prolegômeno; Friedrich Nietzsche, *Genealogia da moral*, segunda dissertação, e Sigmund Freud, *O mal-estar na civilização.*

Do exibicionismo vulgar do rei Creso ao entusiasmo juvenil de Ícaro, as fontes de hybris no mundo grego eram as mais diversas. Uma delas, porém, merece destaque: as conquistas humanas no campo da tecnologia e do domínio da natureza, com o intuito de tornar a existência dos mortais mais segura e aprazível, não deixavam os moradores do Olimpo indiferentes. À hybris da melhoria nas condições de vida e realização no mundo sublunar correspondia a nemesis de algum tormento, tortura ou forma de desespero que castigava o temerário herói-civilizador. O padrão é recorrente.

Prometeu desafiou a interdição divina e furtou de Zeus a arte do fogo e a luz do saber técnico para o benefício da humanidade. Como punição da ousadia, ele foi acorrentado a um rochedo de modo a ter o fígado devorado por um abutre todas as manhãs. O destino de Tântalo, rei da Lídia, foi análogo. Recebido certa feita pelos deuses para um banquete no Olimpo, ele contrabandeou o néctar e a ambrosia da mesa divina para entregá-los ao deleite dos mortais. A retribuição pelo ato veio a caráter: Tântalo se viu condenado ao suplício perpétuo ("tantalizante") de padecer de sede e de fome tendo sempre à vista, mas nunca ao alcance, toda água e alimento de que carecia. Tormento redobrado. A felicidade bem diante dos olhos sequiosos, quase ao alcance da boca e das mãos, mas para sempre fugidia e intangível. Eternamente inalcançável.

A punição do rei Sísifo, fundador de Corinto, obedece a um padrão semelhante. Renomado por sua engenhosidade e arte de governar, Sísifo logrou obter uma valiosa fonte de água natural para abastecer o seu reino graças a um estratagema astucioso: a revelação de um segredo de Zeus à divindade que presidia o curso dos rios. O preço da barganha foi a sua condenação a um trabalho forçado, infinito e destituído de qualquer propósito: empurrar uma pedra com grande esforço até o topo da montanha só para vê-la despencar de volta ao sopé e ser obrigado a recomeçar a tarefa. Eterno retorno.

A idéia de que as conquistas práticas e intelectuais do homem podem ter um preço elevado e não-previsto reaparece na tradição judaico-cristã. No mito bíblico da queda, a transgressão que leva à expulsão do jardim edênico foi o desejo do primeiro casal de adquirir um saber divino por meio da fruta proibida do discernimento moral. Como reconhece a autoridade divina, temerosa de que eles em seguida provassem da fruta da imortalidade, "o homem já é como um de nós, versado no bem e no mal" (Gênesis, 3,22). O custo do saber furtado pelo casal bíblico recaiu não só sobre eles, mas sobre toda a humanidade e o mundo natural. É somente a partir desse momento que, segundo o mito pentateuco (Gênesis, 3,16-9), dois tormentos passam a afligir a nossa existência terrena:

o <u>sobreviver precário</u>, à custa do trabalho duro e do suor sem trégua, e o <u>procriar aflito</u>, assolado pelas dores lancinantes do parto. "Muita sabedoria, muito desgosto; quanto mais conhecimento, mais sofrimento", repete com insistência o autor de Eclesiastes (1,18).

O mito é a pré-história da ciência. A família de narrativas míticas que procurei evocar acima gravita em torno de uma mesma temática: escolhas têm conseqüências; benefícios acarretam custos; conquistas podem implicar sacrifícios. A trama e o colorido particular de cada mito dramatiza, personifica e recorre à intervenção divina, mas nem por isso deixa de conter em si um núcleo de verdade sedimentada, destilada pelo trabalho paciente do tempo e das gerações. Esse núcleo se presta a uma abordagem racional.

O que essa classe importante de narrativas ligadas à idéia de violação dos limites nos transmite e sugere é a experiência de que as conquistas civilizatórias da humanidade têm efeitos imprevistos e freqüentemente danosos ao bem-estar subjetivo do próprio homem. O deus ex machina da retribuição divina, a <u>nemesis</u> que pune a <u>hybris</u> dos mortais, é uma versão poética e alegórica — retoricamente poderosa — de um mecanismo impessoal que pode ser descrito em termos puramente empíricos e causais.

A tese da <u>permuta civilizatória</u> é a idéia de que não há uma harmonia preestabelecida entre o progresso e a felicidade humanos. Aos ganhos inequívocos na dimensão objetiva do bem-estar correspondem perdas — difíceis de evidenciar e medir empiricamente, mas nem por isso menos graves e reais — na dimensão subjetiva. O processo civilizatório tem custos ocultos. Ele provoca certa perda de vigor dos afetos e da alegria espontânea de viver. Ele conduz ao esgarçamento do "doce sentimento da existência" e à corrosão progressiva não só da vitalidade dos instintos, mas da possibilidade de crença em algum tipo de propósito transcendente na existência.

Na termodinâmica do progresso humano, o avanço da luz com calor se paga. O domínio do fogo externo esfria o fogo vital. Como assegura o casto e virtuoso Ferdinand — contraponto civilizado do Caliban selvagem (um canibal caribenho) em A tempestade de Shakespeare — ao preocupado pai da bela virgem Miranda, por quem está apaixonado, "Eu lhe garanto, Senhor: a neve fria, branca e imaculada sobre o meu coração abate o ardor do meu fígado". O apuro da forma sufoca a chama.

Os primeiros enunciados da tese da permuta no pensamento moderno remontam a vozes dissidentes do otimismo reinante na era iluminista do século XVIII, como La Mettrie, Diderot e Rousseau. "O que é ganho do lado da inteligência é perdido do lado do instinto", confabula por exemplo o médico e filósofo materialista La Mettrie, autor de L'homme machine (1747): "Qual deles é maior, o ganho ou a perda?".

"Querem saber a história abreviada de quase toda a nossa miséria?", indaga o genial Diderot. "Ei-la: havia um homem natural; foi introduzido no âmago desse homem um homem artificial, e ele desencadeou no interior da caverna uma guerra civil que se prolongará por toda a vida". Os custos ocultos da permuta civilizatória refletem a escalada da guerra civil intrapessoal flagrada por Diderot.

Com o advento do movimento romântico europeu, a partir do início do século XIX, a reação diante dos efeitos nocivos da civilização alcança um novo grau de virulência. A prece rousseauniana — "Senhor todo-poderoso, vós que conservais em vossas mãos todas as almas, liberai-nos das luzes e artes fatais dos nossos progenitores e restaurai-nos a ignorância, inocência e pobreza, os únicos bens que levam à felicidade e que são preciosos ao vosso olhar" — sintetiza o teor da revolta. O ponto, entretanto, é que a avalanche dos protestos, lamentos, queixas e declamações do romantismo era antes de mais nada um sintoma — e não um diagnóstico elaborado — do mal-estar e desconforto dos civilizados com a sua civilização. Como entender as causas do sintoma? Que argumento, afinal, poderia tornar explícito e racionalmente inteligível o mecanismo de causa e efeito subjacente à tese da permuta?

O primeiro passo para se chegar a um melhor entendimento do problema foi a calma determinação de tratar o ser humano não como anormalidade metafísica, mas como um fenômeno natural, isto é, como um animal mamífero dotado de características peculiares. O grande divisor de águas, no entanto, o impulso decisivo para a construção do argumento da permuta veio com a revolução darwiniana na biologia. A teoria da evolução de Darwin permitiu recolocar o animal humano firmemente, com os quatro membros bem plantados, no mundo natural ao qual pertence.

As implicações dessa profunda mudança na autocompreensão humana não ficaram restritas ao entendimento do lado físico do nosso organismo, ou seja, à morfologia e ao modo de funcionamento do corpo. A teoria da evolução permitiu abordar a origem e a constituição <u>psíquica</u> do animal humano sob um novo ângulo. Como o próprio Darwin começou a se dar conta em suas notas pessoais de trabalho, registradas à medida que elaborava a sua teoria, a suposta "perversidade" da natureza humana não era fruto do pecado original de Adão, mas refletia em larga medida a herança psicológica do nosso passado animal: "Nossa ascendência, portanto, é a origem de nossas paixões maléficas!! — O Demônio sob a forma de Primata é o nosso avô!". Sob a fina crosta de neve fria do coração de Ferdinand vibrava o atabaque pré-lógico de um Caliban subterrâneo.

Ou como diria Nietzsche, no seu estilo inconfundível, "o animal selvagem, trancafiado nos sótãos da cultura, urra e espuma de rancor".

Natura non facit saltum. A diferença entre o animal humano e o não-humano não é de caráter, mas de grau. Do ponto de vista da psicologia evolucionária, portanto, a escala de tempo relevante para se começar a entender a origem, formação e atual configuração do psiquismo humano não são os cerca de 6 mil anos da criação segundo o mito bíblico e a filosofia da história hegeliana, mas as centenas de milhões de anos transcorridos desde o aparecimento dos mamíferos e os cerca de 200 mil anos da trajetória do Homo sapiens pelo planeta. Foi ao longo dessa trajetória — sob a forja silenciosa e a pressão dos milênios anônimos que precedem a escrita e o nosso calendário — que os modos básicos de sentir e agir, ou seja, que o aparelho psíquico e o repertório de instintos e emoções primárias da nossa espécie foram sendo gradualmente moldados. É abrindo a cortina do nosso passado ancestral que podemos chegar a compreender melhor quem somos e por que somos como somos. A natureza está tanto fora como dentro de nós.

A diversidade aparente não nega a unidade essencial. Assim como o organismo físico dos homens, não obstante a infinita variedade e a singularidade de cada corpo individual, apresenta uma uniformidade anatômica essencial (todos temos cabeça, tronco, membros, pulmões, lábios, rins, fígado etc.); da mesma forma a mente, não obstante a extraordinária variedade de culturas, tradições e peculiaridades individuais, apresenta uma uniformidade psíquica essencial que independe do processo histórico e da forma de organização social. Cada indivíduo carrega não só nos órgãos físicos do seu corpo, mas também na sua vida mental, como uma relíquia herdada do ambiente ancestral da nossa espécie, a pré-história da humanidade.

O ponto crucial aí está. A pessoa civilizada é na verdade uma construção elaborada erguida sobre uma base animal que sempre permanece com ela. A constituição psíquica do homem, fruto de um longo processo evolutivo, é muito menos plástica ou maleável do que supunham a vertente dominante da era iluminista e todos os adeptos da crença na perfectibilidade humana no século XIX. O processo civilizatório — a escalada da guerra civil retratada por Diderot — agride as bases da felicidade animal no homem. Há uma tensão insanável e um conflito crescente entre as interdições legais, as exigências de conduta racional-competitiva na vida prática e as imposições morais, de um lado, e as demandas e pulsões obstinadas da nossa constituição psíquica, herdada do ambiente ancestral, de outro.

Daí que a progressiva domesticação do animal humano, como enfatiza Nietzsche no verdadeiro _locus classicus_ da tese da permuta civilizatória que é a segunda dissertação da _Genealogia da moral_ (1887), seja um processo violento e custoso. A ordem social civilizada, ele argumenta, exigiu a imposição de leis severas, ameaças e punições penais as quais, por seu turno, "fizeram com que todos aqueles instintos do homem selvagem, livre e errante se voltassem para trás, contra o homem mesmo". O resultado foi o surgimento de um animal cindido, em surda guerrilha consigo mesmo, e estranhamente dilacerado em suas crenças e motivações: um ser oprimido pela vergonha, culpa e "má-consciência" de ser e sentir o que sente:

> Esse homem que [...], cerrado numa opressiva estreiteza e regularidade de costumes, impacientemente lacerou, perseguiu, corroeu, espicaçou, maltratou a si mesmo, esse animal que querem "amansar", que se fere nas barras da própria jaula, este ser carente, consumido pela nostalgia do ermo, que a si mesmo teve de converter em aventura, câmara de tortura, insegura e perigosa mata — esse tolo, esse prisioneiro presa da ânsia e do desespero tornou-se o inventor da "má-consciência". Com ela, porém, foi introduzida a maior e mais sinistra doença, da qual até hoje não se curou a humanidade, o sofrimento do homem com o homem,

> consigo: como resultado de uma violenta separação do seu passado animal [...] [como] resultado de uma declaração de guerra aos velhos instintos nos quais até então se baseava sua força, seu prazer e o temor que inspirava.

Pela mesma trilha, é claro, seguiu o pai da psicanálise, Sigmund Freud, ainda que ele jamais tenha reconhecido publicamente (e talvez admitido para si próprio) a extensão de seu débito intelectual com o autor de Humano, demasiado humano. Como ele afirma em Mal-estar na civilização (1930), após elaborar em sua especial terminologia as bases da tese da permuta civilizatória:

> Se a civilização impõe sacrifícios tão grandes não só à sexualidade humana, mas à sua agressividade, podemos entender melhor por que é tão difícil para o homem ser feliz na civilização. De fato, o homem primitivo estava em situação vantajosa por não conhecer restrições ao instinto. Em contraposição a isso, sua perspectiva de usufruir desta felicidade por qualquer intervalo maior de tempo era diminuta. O homem civilizado trocou uma parcela das suas possibilidades de felicidade por uma parcela de segurança.

A domesticação do animal humano tem um preço. Nossa constituição psíquica não aceita de bom grado e resiste surdamente às múltiplas interdições, pressões e ditames da convivência civilizada. O homem carrega dentro de si um universo mental com um tempo de mudança muito distinto do que preside às mudanças no campo da ciência, da técnica e do progresso econômico. Mas assim como se constata hoje que a exploração do meio ambiente natural pelo homem vem produzindo uma séria ameaça de desastre ecológico, parece razoável supor que estejamos vivendo uma espécie de <u>crise da ecologia psíquica</u>, produzida pelo crescente descompasso entre o ambiente interno do animal homem — a natureza humana pré-lógica e pré-civilizada que herdamos da nossa trajetória evolutiva — e o ambiente externo da civilização tecnológica.

A pergunta básica que fica é: <u>a civilização entristece o animal humano?</u> Até que ponto faz sentido falar numa crise da ecologia psíquica, fruto da tensão entre as demandas do ambiente interno e as exigências do ambiente externo, e de certa forma análoga à crise nas relações entre o homem e o mundo natural? E supondo que a permuta civilizatória exista e seja uma realidade inescapável, como lidar com ela?
É possível supor um mundo em que os custos do processo civilizatório sejam reduzidos ao mínimo indispensável, preservando o vigor dos afetos e a alegria espontânea de viver, mas sem sacrificar os benefícios da civilização?
Em seu ensaio sobre o mito de Sísifo, o existencialista Albert Camus nos provoca a conceber um "Sísifo feliz". À luz da questão que esbocei, o desafio pode ser estendido.
O que seria necessário para imaginar a

felicidade de Prometeu liberto e Tântalo saciado? Para inspirar a visão de uma civilização, se não edênica, ao menos não tão dilacerada, desnorteada e infeliz?

OTTO: Meus cumprimentos, Leila! O seu texto é um feito notável. Que advogada o mundo não está perdendo! Você consegue dar ares de plausibilidade a uma tese que é, na mais caridosa das hipóteses, altamente especulativa. Então você pretende nos convencer de que os homens selvagens e os povos bárbaros eram mais felizes que os civilizados? De que a vida nas cavernas, choupanas e palhoças dos nossos ancestrais não era "solitária, pobre, imunda, embrutecida e curta", como no estado de natureza hobbesiano, mas sim harmoniosa, inocente, venturosa e repleta de satisfação, como no estado de natureza rousseauniano?

Pois bem, se alguém acreditar de fato nisso, se alguém estiver convencido de que a civilização é um erro monstruoso, a porta de saída está (e sempre esteve) aberta. E alguns, ao que me consta, gente como Henry Thoreau e o próprio Rousseau, fizeram precisamente isso, ou seja, não ficaram só na denúncia dos males e horrores da civilização (*voice*), mas optaram com os pés, embora não por muito tempo, é bom que se diga, pela porta de saída (*exit*).

Você não acha sintomático, no entanto, que sempre que é dada uma chance os povos primitivos buscam a todo custo sair da condição precária em que vivem? Nós modernos, é verdade, estamos descontentes com a civilização que criamos. Mas me diga, existe alguma sociedade pré-moderna que não queira deixar de sê-la? Você não acha que o problema, cada dia mais grave, das fronteiras e do controle dos fluxos migratórios no mundo globalizado elimina qualquer dúvida a esse respeito?

É curioso. O sentimento antiamericano cresce a olhos vistos no planeta. Eu não me iludo: o 11 de setembro foi *comemorado*, isso mesmo, foi *festejado* de forma aberta ou velada em muitos corações e lugares do mundo. Ao mesmo tempo, contudo, a migração rumo aos Estados Unidos só faz crescer. Só de latino-americanos, ao que me consta, já são cerca de 15 milhões de imigrantes, boa parte deles clandestinos. Se a vida fosse tão boa nos lugares de onde eles vêm, por que eles estariam fugindo dela? E por que logo rumo ao tão execrado Tio Sam?

LEILA: Obrigada pelo elogio, Otto, mas sinceramente eu não o mereço. De duas uma: *ou* não fui clara no que escrevi, *ou* você entendeu mal o que leu. Mas antes de concordar ou discordar de alguma coisa, nós precisamos chegar a um acordo sobre o que foi colocado. Deixe-me tentar esclarecer o que está em jogo. Mais vale uma divergência franca do que um mal-entendido.

Para começo de conversa, a tese da permuta civilizatória não tem caráter normativo. Trata-se de uma tentativa de *entender melhor* a razão pela qual a promessa de felicidade do iluminismo europeu não se cumpriu. A idéia central é a noção de que o progresso da razão e o bem-estar subjetivo não são necessariamente convergentes. E a explicação vem do fato, assinalado com mais ênfase a partir da revolução darwiniana, de que a área de não-racionalidade na mente do animal humano é muito mais vasta, complexa e indomável do que poderiam supor os iluministas exaltados e os adeptos da tese da incompletude, para continuar usando os termos sugeridos pelo Melo no nosso primeiro encontro. A tese da permuta nada nos diz sobre o que é *melhor* ou *pior* para o homem, sobre o que *deveria* ou *não deveria* ser feito, sobre *valor* do passado vis-à-vis ao presente.

É lógico que podemos dar mais um passo e *interpretar* a tese da permuta em sentido normativo. Na verdade, foi precisamente isso que você acabou de fazer ao caricaturar a minha posição com o intuito de desqualificá-la. Mas aí você confunde, não sei se de caso pensado, duas coisas que são totalmente distintas. Uma coisa é a tese de que a civilização impõe perdas ao bem-estar subjetivo do homem — uma relação causal que pode ser falsa, verdadeira ou indecidível. Outra coisa, radicalmente diferente, é a avaliação de que o passado era superior ao presente, de que a civilização foi um equívoco monstruoso e de que o melhor que temos a fazer, portanto, é retornar àquela "ignorância feliz na qual a sabedoria eterna nos colocou" e da qual nunca deveríamos ter pretendido escapar. Ao dar este passo, porém, você saiu da tese da permuta e embarcou na canoa do *primitivismo* — uma doutrina moral que tem raízes profundas na filosofia grega e romana e que encontrou em Rousseau o seu grande precursor moderno.

Mas você há de convir, Otto, que a tese da permuta é perfeitamente compatível com as mais diversas orientações normativas. O poeta latino Lucrécio, por exemplo, sugere um magnífico contraste entre a penúria sob a qual pelejava o homem primitivo e os males que atormentavam e arruinavam a convivência dos seus contemporâneos civilizados, ou seja, os cidadãos romanos:

> Naquele tempo, era a fome que levava os seus corpos
> enfraquecidos à morte.
> Agora, ao contrário, é a abundância que nos destrói.
> Naquela época, os homens freqüentemente ingeriam
> veneno por ignorância.
> Hoje em dia, mais bem instruídos, eles se envenenam uns
> aos outros.

O envenenamento do qual nós estamos falando hoje poderia, é claro, ir além da imagem lucreciana e incluir também os efeitos atuais e futuros, mas nada metafóricos, da poluição ambiental. O ponto principal do exemplo, contudo, é mostrar que não é preciso idealizar ingenuamente o passado, como tantos sem dúvida fizeram desde o mundo grego, para enxergar os problemas e males do presente. Se o primitivismo rousseauniano, como você bem aponta, beira o ridículo, o progressivismo triunfante dos tecnocratas (espero que não seja o seu caso...) não fica atrás. Ninguém aqui está tolamente supondo que as sociedades pré-modernas eram paradisíacas ou que os povos primitivos viviam no sétimo céu.

OTTO: Ok, Leila, o seu reparo é esclarecedor. Mas o mínimo que você tem de admitir é que o mal-entendido no qual incorri deve ser muito comum. Creio que a tese da permuta se mostra especialmente suscetível a uma leitura primitivista, e isso tanto por parte dos que a endossam como daqueles que — como eu — a rejeitam. Você não acha que quem apresenta argumentos desse tipo deveria inserir algum expediente anticonfusão para evitar mal-entendidos? Senão, acaba virando o tal negócio, "os nossos pensamentos são nossos, mas os seus fins não nos pertencem...".

Mas, seja como for, volto a insistir: não estou convencido. O fato é que a relação causal postulada pela tese da permuta não bate com as evidências empíricas da pesquisa sobre o bem-estar subjetivo que nós discutimos no último encontro. Eu não iria tão longe quanto Edgeworth, em *Mathematical psychics*, a ponto de afirmar com a maior segurança do mundo que "a capacidade para o prazer é uma propriedade da evolução, um atributo essencial da civilização". Mas o que as séries de tempo disponíveis mostram é que, a partir de um dado nível de renda, a felicidade tende a se manter *constante* ao longo do processo civilizatório. A dimensão objetiva melhora, ao passo que a subjetiva *não* piora. Foi o que vimos no último encontro. Vá lá: não é o paraíso sonhado do iluminismo, mas está longe de ser aquele dramalhão nietzschiano do homem civilizado se arrebentando de raiva e frustração contra as grades do seu cárcere.

ALEX: Foi o que eu também concluí, Otto, até que um raciocínio curioso me ocorreu. É uma espécie de "experimento mental" ou *Gedanken-experiment*, como chamavam esse tipo de exercício os positivistas lógicos de Viena. Acho que nós tangenciamos o ponto da outra vez, quando discutimos o que se descobriu sobre os ganhadores de loteria. A idéia é a seguinte.

Entre 1975 e 1995, como vimos, a renda média por habitante nos Estados Unidos subiu 43% em termos reais sem que o bem-estar subjetivo dos americanos tenha saído do lugar. Pois bem. Suponha que ao longo dessas duas décadas de alto crescimento tudo tivesse ocorrido exatamente como ocorreu, exceto por um detalhe. Todo o *acréscimo* de renda obtido no período foi desviado pelo governo, na forma de tributos, a fim de financiar um gigantesco programa espacial voltado para a exploração de recursos naturais em Marte. O resultado do avanço tecnológico, da competição e da maior produtividade do trabalho serviu, portanto, não para permitir a compra de um maior volume de bens e serviços para o consumo, mas para fazer um grande esforço de investimento de lenta maturação.

Assim, em 1995 os americanos trabalhavam e competiam como de fato faziam naquele ano, mas o padrão de consumo permanecia exatamente igual ao de 1975. Pergunta-se: se o processo civilizatório tivesse seguido o seu curso natural, mas todo o ganho de renda monetária da população estivesse sendo esterilizado no programa espacial, o que teria ocorrido com a *renda psíquica* dos americanos no período?

A resposta, imagino, é lenha na caldeira da tese da permuta civilizatória. Parece razoável supor que, nos termos do experimento contrafactual sugerido, o bem-estar subjetivo dos americanos teria apresentado *forte queda*. A razão é simples. O fato de que a felicidade média nos Estados Unidos não se alterou entre 75 e 95 *não* significa que a renda psíquica adicional derivada das centenas de bilhões de dólares gastos a mais em consumo tenha sido nula. Significa, isto sim, que o *acréscimo* de renda psíquica proporcionado pelo maior consumo foi apenas o suficiente para *compensar* a perda de renda psíquica que o progresso econômico acarretou, ou seja, a perda associada ao aumento do estresse e ao desgaste e esgotamento provocados pela exacerbação da pressão competitiva e por um ambiente tecnológico e organizacional mais exigente. O que se ganhou de um lado (o delta de renda psíquica advindo do maior consumo) neutralizou o que se perdeu do outro (a queda de renda psíquica oriunda do maior estresse e desconforto não-monetários).

Na prática, pelo que os dados do Otto mostram, o efeito *líquido* no bem-estar subjetivo foi nulo. Mas se, como no experimento mental proposto, nós abstrairmos o ganho, ou seja, se descontarmos o efeito do prêmio (ou suborno) monetário obtido em troca dos esforços e sacrifícios incorridos na geração de um maior volume de produto, então a extensão dos danos e perdas subjacentes ao processo civilizatório pode ser apreciada.

O aumento do estresse nas últimas décadas teria sido tão alto que todo o brutal crescimento da renda e do consumo no período serviu apenas para empatar o jogo, isto é, para compensar o crescente mal-estar na civilização americana. Tudo não passa, é claro, de um exercício contrafactual. Mas ele pelo menos permite mostrar como, ao contrário do que pareceria à primeira vista, os dados sobre bem-estar subjetivo são perfeitamente compatíveis com a tese da permuta. Nocaute, Otto, não é. O veredicto permanece em aberto.

OTTO: Uma acrobacia engenhosa, Alex, o que aliás parece ser a sua especialidade. Mas pelo visto continuamos na vizinhança incômoda do meramente plausível e das analogias; surfando na onda dos contrafactuais, símiles e metáforas persuasivas, mas longe da terra firme do demonstrável ou empiricamente sustentável...

LEILA: O que você pede é impossível de ser feito. A tese da permuta não é um teorema que possa ser provado. E o fato é que *não* sabemos que tipo de evidência seria capaz de, pelo menos em tese, falseá-la. Suspeito que, mesmo que os indicadores de bem-estar subjetivo nos países ricos passassem a apontar para as estrelas, ainda haveria gente disposta a defender a tese por meio de acrobacias teóricas que fariam a do Alex parecer brincadeira de criança. Eu compreendo que o papel — esporte? — de economistas mais linha-dura como você, Otto, é jogar baldes de água fria nas especulações dos cientistas sociais, filósofos humanistas e políticos sonhadores. Nem por isso, entretanto, me sinto motivada a abandonar a discussão de um tema que me parece da maior relevância teórica e prática. Como dizia um grande economista — e se não estou enganada da sua querida *alma mater* —, "às vezes é preferível estar vagamente certo do que precisamente errado".

Deixem-me agora propor duas pistas que me parecem sugestivas em relação à tese da permuta. A *primei-*

ra é o estudo do comportamento animal. A experiência mostra o que acontece quando mamíferos sociais, como porcos ou chimpanzés, são retirados do seu habitat e são confinados em espaços exíguos, protegidos e totalmente artificiais para fins de criação sistemática ou experimentação científica. Esses animais passam a exibir o que os etólogos denominam "comportamento estereotipado", ou seja, gestos compulsivos e autodestrutivos como, por exemplo, roçar nas paredes e bater-se ferozmente contra as grades das suas jaulas. O que você ironizou como sendo o "dramalhão nietzschiano", Otto, descreve razoavelmente bem o fenômeno.

O mais curioso, porém, é o que sucedeu com galinhas criadas em ambientes altamente controlados (*factory farms*) de produção em massa. De repente, elas passaram a obter sem qualquer esforço nas suas manjedouras, em poucos minutos, todo o alimento de que precisavam para mais um dia. Como ocupar o tempo? Livres da luta pela sobrevivência, as galinhas logo descobriram um novo e fascinante esporte. Elas passaram a se bicar e a se ferir umas às outras a tal ponto que os criadores se viram forçados a amputar os seus bicos de forma sistemática para que elas não se matassem numa orgia hobbesiana de tédio e rancor.

Da escassez natural à violência intra-espécie: o mundo galináceo parece guardar uma inconfortável semelhança com o quadro descrito por Lucrécio ao retratar o envenenamento mútuo dos civilizados. É por aí que começamos a entender o excesso de otimismo implícito no axioma aristotélico, tão presente no iluminismo bem como na tese da incompletude, segundo o qual "quando as necessidades prementes estão satisfeitas, o homem se volta para o universal e o mais elevado".

A *segunda* pista, serei breve, é outra modalidade de envenenamento — o consumo de drogas que alteram os nossos estados mentais. Segundo estimativa das Nações Unidas, o comércio internacional apenas de drogas *ilícitas* movimenta cerca de US$ 400 bilhões por ano, ou seja, perto de 8% do fluxo mundial de comércio ou o equivalente do turismo ou petróleo. É claro que o valor monetário fica inflado pela repressão e pelo risco do comércio ilegal, mas o que aconteceria se a proibição fosse suspensa? A demanda por todo tipo de substância capaz de alterar quimicamente os nossos estados mentais tornou-se uma força explosiva no mundo, a começar pelos países mais civilizados que estão dispostos a pagar uma fortuna *por* elas e *contra* elas.

O que está por trás desse fenômeno alarmante? O que alimenta esta demanda? Seja o que for, parece claro que quem recorre às drogas está buscando algum tipo de alívio ou "paraíso artificial", ou seja, está em busca de meios químicos que proporcionem o que o seu ambiente social e os seus próprios recursos espirituais não são capazes de satisfazer. Aumentaram as aspirações hedônicas dos homens ou alguma coisa na psique profunda do animal humano está se insurgindo como um Caliban esfomeado e ferido? Se isso não for um sinal eloqüente de que o mal-estar na civilização é uma realidade palpável, então é difícil imaginar o que possa ser.

MELO: A questão que você está levantando, Leila, é absolutamente crucial. Essa crença num atalho de química cerebral para alcançar felicidade me parece algo tão fundamental que eu me pergunto se não seria o caso de dedicarmos todo um encontro, quem sabe o próximo?, para aprofundarmos a discussão. Talvez o Alex, não sei, pudesse coordenar... O que vocês acham?

[SINAIS DE APROVAÇÃO]

MELO: Ótimo. Mas o que eu gostaria de propor agora é que abordássemos a tese da permuta civilizatória por um outro ângulo. O que nós fizemos basicamente até aqui, fora, é claro, as cobranças e baldes de água fria do Otto, foi explorar alguns aspectos das perdas e danos possivelmente causados ao bem-estar subjetivo dos civilizados pelo desenrolar do processo civilizatório. A ênfase recaiu nos *custos* da troca. Mas há um outro modo de se encarar a permuta: olhar não tanto para os venenos e as chagas ocultas da civilização, mas para o que haveria de *valioso* na experiência de vida dos menos ou não-civilizados e que o avanço da civilização dilapidou. Que valores teriam ficado para trás à medida que o projeto faustiano do iluminismo decolou?

O mito de Prometeu, como o texto da Leila lembrou, evoca os termos da permuta na ponta civilizada: o conforto da técnica pelo tormento do instinto. A escolha do fígado — o mesmo órgão que, diga-se de passagem, figura na fala de Ferdinand que ela citou — não é gratuita. "No mundo antigo", como assinala Freud em seu ensaio sobre a conquista do fogo, "o fígado era considerado como o *locus* de todas as paixões e desejos." O que é menos conhecido, contudo, é o fato de que Prometeu tinha um irmão simétrico — uma espécie de negativo fotográfico de sua sina de glória e miséria — chamado Epimeteu.

A etimologia dos termos é esclarecedora. Enquanto o nome "Prometeu" significa em grego literalmente "pré-pensador", ou seja, aquele que *pensa antes de agir*, o nome "Epimeteu" significa justamente o oposto, isto é, "pós-pensador", ou aquele que *age antes de pensar*. Epimeteu evoca portanto os termos da permuta na ponta não-civilizada: a exuberância do instinto pela precariedade da vida prática.

Quem era e como vivia o irmão menos famoso de Prometeu? Do ponto de vista da história das idéias, o que chega a ser quase espantoso é que, muito antes de Nietzsche e Freud, a trajetória paralela de Prometeu e Epimeteu foi maravilhosamente analisada pelo filósofo renascentista Francis Bacon — o contemporâneo de Shakespeare que vislumbrou na ciência moderna a possibilidade de resgatar a condição humana e assim reconquistar, por meio do avanço tecnológico, o paraíso perdido. Em sua magnífica interpretação do mito, Bacon contrasta os resultados conflitantes de duas formas de vida: a impulsividade epimetéica e a racionalidade prometéica. Cada uma tem o seu brilho, mas também o seu preço. Eis o que ele conclui.

"Os seguidores de Epimeteu", pondera o filósofo, "são improvidentes, pouco vêem à sua frente e preferem aquilo que seja aprazível no presente; daí que vivam oprimidos por numerosos apertos, estorvos e calamidades contra os quais batalham de modo quase contínuo. Nos intervalos, contudo, eles satisfazem a sua índole e, por falta de um melhor conhecimento das coisas, alimentam a sua alma com esperanças vãs e se deleitam e suavizam as misérias da vida como que imersos em sonhos prazenteiros. Já os seguidores de Prometeu são homens prudentes e ressabiados, que miram o futuro e que, cheios de cautela, antecipam e previnem muitas calamidades e infortúnios. Ocorre, porém, que essa índole alerta e providente vai escoltada pela privação de numerosos prazeres e pela perda de diversas delícias, visto que tais homens sonegam a si próprios o desfrute até mesmo de coisas inocentes e, o que é ainda pior, eles se torturam e dilaceram com cuidados, temores e inquietações, ficando assim amarrados ao pilar da necessidade e atormentados por um sem-número de pensamentos que ferem, rasgam e esburacam sem cessar o seu fígado ou mente."

LEILA: Nossa, Melo, que passagem bárbara! Se eu conhecesse isso teria colocado no meu texto de abertura. De onde você desenterrou essa preciosidade?

MELO: Não é impressionante? E pensar que alguém escreveu isso lá no início do século XVII, em pleno renascimento... A fonte é um livro pouquíssimo conhecido de Bacon, chamado *De sapientia veterum* (A sabedoria dos antigos), em que ele recria uma série de mitos da Antigüidade, servindo-se principalmente das *Metamorfoses* de Ovídio como fonte primária, para em seguida dar uma interpretação de cada fábula à luz de sua própria filosofia. Nem todas são lá muito inspiradas, mas eu confesso que, como você, fiquei atônito ao ler este trecho pela primeira vez. A pesquisa em história das idéias também tem seus momentos...

Mas eu queria era dizer algo sobre o irmão esquecido de Prometeu; fazer um breve "elogio de Epimeteu" a partir dos testemunhos de pensadores e artistas do mundo civilizado que souberam reconhecer o valor do que a sua civilização havia deixado para trás. Freud definiu a felicidade como sendo "a gratificação ulterior de um desejo pré-histórico". "Eis aí a razão pela qual", ele acrescentou, "a riqueza proporciona tão pouca felicidade; o dinheiro não é um desejo infantil." Seja ou não esta a explicação da fraca relação entre riqueza e felicidade a partir de um certo nível de renda, o fato é que alguns agrupamentos humanos em condições materiais medíocres ou apenas toleráveis parecem desfrutar de um bem-estar subjetivo que surpreende o olhar civilizado.

O filósofo britânico Bertrand Russell, por exemplo, relata a ocasião em que, numa de suas viagens aos Estados Unidos, ele foi convidado a visitar um bairro mexicano em Los Angeles. Seus cicerones americanos, ele depois escreveu, "referiam-se aos mexicanos como vagabundos ociosos, mas, para mim, eles pareciam estar usufruindo mais de tudo aquilo que torna a vida uma dádiva, e não uma maldição, do que o destino reservara aos meus anfitriões laboriosos e cheios de ansiedade. Quando tentei, porém, explicar esse sentimento a eles [os americanos], fui encarado com total estranheza e incompreensão".

Os imigrantes mexicanos, é verdade, "votaram com os pés", como gosta de dizer o Otto, pelas melhores oportunidades de emprego, renda e consumo do "sonho americano". Mas o seu sonho de felicidade — para não falar da saudade — era e continua sendo outro. Como diria o nosso poeta antropofágico Oswald de

Andrade, "a alegria é a prova dos nove". O "canibal" de Montaigne, o tupi alegre e inconseqüente retratado pelo ensaísta francês, é o avesso feliz de Caliban, o índio vil, beberrão, deformado e despudorado (!) do (ocasionalmente) puritano Shakespeare. "Antes dos portugueses descobrirem o Brasil, o Brasil tinha descoberto a felicidade."

Observação análoga à de Russell aparece no relato feito pelo jovem Goethe de sua visita ao sul da Itália. Ao se deparar com o clima surpreendentemente alegre e festivo que encontrou em Nápoles, o poeta registrou em seu diário: "São inúmeros aqui os exemplos de tão modesta satisfação e do atento aproveitamento daquilo que em geral se perderia. Encontro nesse povo a engenhosidade mais viva e sagaz, não para alcançar a riqueza, mas para viver sem preocupações". A experiência do contato com a felicidade espontânea de um povo para o qual "o mero existir é um prazer" deixou marcas indeléveis na memória do autor de *Fausto*. É impossível não sentir o sopro da brisa suave que abençoa a costa meridional da península itálica no conselho de Mefistófeles ao seu preocupado e soturno pupilo alemão:

> Acima de tudo, é o que me parece,
> De companhia alegre é o que você carece,
> Para ver como a vida pode ser divertida, para dizer o mínimo:
> A gente daqui faz de cada dia uma festa.
> Com alguma malícia e ruidosa efervescência,
> Eles dançam e giram na trilha de suas estreitas rodas,
> Como gatinhos se entretendo com suas caudas.
> Quando a ressaca não os põe fora de ação,

E enquanto o seu crédito permanece à mão,
Eles bebem e fazem alarde sem sombra de preocupação.

Minha coleção, como vocês devem estar temendo, vai longe. Mas se vocês ainda tiverem paciência, gostaria de dar um último exemplo. O vício de citar, compreendam, é a deformação profissional de quem se dedica à história das idéias. A citação está para o historiador de idéias assim como a matemática para o econometrista: ambas começam como servas úteis e obedientes, mas logo acabam tomando conta e dominando a gente. É difícil controlar o vício. Posso continuar?

[SILÊNCIO CONIVENTE]

MELO: Então vamos lá... Outro dia um amigo me fez um pedido curioso. Ele foi arrumar os seus papéis acadêmicos depois de muitos anos e encontrou um texto datilografado sem indicação de autoria. Como não lembrava quem poderia tê-lo escrito e enviado, ele me pediu que desse uma olhada para ver se conseguia descobrir o autor. Li o tal paper com interesse e acho que matei a charada. Mas o que realmente me chamou a atenção foi uma citação contida naquele texto trazendo o depoimento de um antropólogo chamado Robin Horton (nascido na Inglaterra e atualmente professor na Universidade de Port Harcourt, na Nigéria, como vim a descobrir pela internet) sobre a sua experiência na África. Às vezes acontece comigo: o que ele dizia ali nunca mais me saiu da cabeça.

"Como um cientista", relata Horton, "era talvez inevitável que eu devesse em certos pontos dar a impressão de que o pensamento africano tradicional é alguma coisa pobre e limitada se comparado ao pensamento das ciências. Como um ser humano, não obstante, cá estou eu vivendo por escolha própria numa África que é ainda fortemente tradicional, e não na subcultura cientificamente orientada do mundo ocidental na qual fui criado. Por quê? Bem, pode haver inúmeras razões esquisitas, sinistras e desconhecidas. Mas uma razão da qual estou certo é a descoberta de coisas que perdemos no lugar de onde vim. Uma qualidade poética intensa na vida e no pensamento do dia-a-dia comum e a vívida fruição do instante que passa — ambas expelidas da vida ocidental sofisticada pela busca da pureza de motivação e pela fé no progresso [...] Quão necessárias não são elas para o avanço da ciência; mas que desgraça não se tornam quando se desgovernam e vão além dos seus limites apropriados."

ALEX: Bravo, Melo. Se eu tivesse a estatura requerida, acho que você poderia me incluir na sua galeria de depoimentos. Não sei se vocês se lembram, mas eu passei dois meses em Kaduna, uma capital muçulmana no norte da Nigéria, não muito distante da fronteira com o Saara, no início dos anos 80. Foi uma das experiências mais marcantes que tive na vida. Eu era recém-formado, tinha perdido definitivamente a fé no marxismo, estava sem emprego e sem rumo na vida. De repente, apareceu uma empresa precisando de alguém para ajudar na implantação de uma fábrica de refrigerantes na Nigéria. Meu pai foi duramente contra — "isso não leva a nada, é coisa de desocupado" —, mas eu agarrei a oportunidade e mergulhei na aventura. Não me arrependo. A impressão que tenho é que, em apenas dois meses de África, aprendi e mudei tanto quanto em cinco anos de faculdade e fazendo dois cursos.

O que eu sabia de Nigéria antes da viagem era menos de zero — era negativo. Para começar, tive de olhar no mapa para saber onde ficava. Mas o pior eram as imagens e idéias preconcebidas. O que eu tinha na cabeça se resumia a algumas cenas terríveis de fome, sofrimento e crianças cadavéricas que a mídia tinha veiculado de forma insistente na época da Guerra de Biafra. A Nigéria que eu esperava encontrar era um país sombrio, devastado pela exploração imperialista, governado por ditadores sanguinários e vivendo na franja de um sobreviver precário e amargo. O horror.

O choque da chegada, vocês podem imaginar, foi brutal. O país era sem dúvida um caos: absurdamente corrupto, bagunçado e, para os nossos padrões, miserável. Quando perguntei por que não se viam cachorros nas ruas, logo me explicaram que, se aparecesse algum, seria imediatamente garfado. Tudo isso, no entanto, eu mais ou menos esperava.

O que eu jamais poderia ter imaginado era a vitalidade afetiva, o calor humano e a pura alegria instintiva de viver que os nigerianos de um modo geral — e os iorubas em particular — exibiam nas mais corriqueiras ações do dia-a-dia. Aquilo me pegou em cheio. Era um fenômeno difícil de descrever, mas de uma contundência inapelável. Era uma espécie de felicidade involuntária, uma forma de exuberância e um estado de ânimo que pareciam emanar espontaneamente do sangue e da alma das pessoas e que tornava o simples existir uma bênção, independente de qualquer razão ou justificativa lógica. O meu marxismo e a minha teoria econômica não tinham *nada* a dizer sobre aquilo. Mas exatamente aquilo era o mais fundamental em tudo o que via e vivia ao meu redor.

Quando tomei o avião de volta e aproveitei para fazer uma escala de alguns dias em Londres, o contraste se impôs como um raio. Eu não possuía os termos adequados e a clareza conceitual para elaborar a experiência. Mas era só caminhar pelas ruas do outono londrino e conversar com as pessoas que conhecia por lá para sentir nas entranhas que o ensombrecimento do céu acima do animal humano era uma conseqüência do avanço da civilização. "Que mundo *estranho*", eu pensava, "os africanos, que quase nada possuem, fazem milagres ao transformar o pouco em muito; já os europeus, com tudo o que tinham, são como bruxos às avessas na proeza de transformar muito em tão pouco." A sensação, para retomar a imagem que o Melo tão bem evocou, era de ter saído da terra de Epimeteu e ido direto para a de Prometeu. Era como se os londrinos trouxessem não a dor e o desgosto, mas o *fardo* de existir estampado na fronte.

Não se trata, é claro, de idealizar a felicidade africana. Mas também não podemos ignorá-la. Os seguidores de Epimeteu são servos inconseqüentes dos instintos e pulsões que os carregam pela vida. Joviais, alegres e extrovertidos, como que embriagados dos sonhos e esperanças mágicas que alimentam, eles seguem o seu curso, tropeçando pela existência em meio a apuros e prazeres intensos, ainda que efêmeros. Imprevidência e êxtase. Vivem ao deus-dará, mas acontece que deus dá. Afinal, como se diz também por lá, "Deus é nigeriano".

MELO: Aliás, Alex, falando sobre isso, você se lembra daquele trecho de Joaquim Nabuco que o Caetano Veloso musicou no seu último CD? É incrível. Ao retratar as características que a "alma infantil" do escravo africano infundiu na psique coletiva dos brasileiros, Nabuco ressalta: "tristezas sem pesar", "lágrimas sem amargor", "silêncio sem concentração", "alegrias sem causa" e "felicidade sem dia seguinte". Foi tiro e queda. Assim que ouvi a canção, lembro o instante exato, imediatamente me ocorreu: "Mas isso é o retrato falado de Epimeteu!". A ambigüidade, o destino a um só tempo trágico e glorioso, mágico e aterrador da alma epimetéica está todo contido aí. Assim como Prometeu sucumbe por excesso de zelo e preocupação, ao antecipar as demandas e incertezas de um futuro ameaçador, Epimeteu tropeça pela vida, dança e rasteja, torce e reza, mendiga e goza, como se não existisse amanhã.

LEILA: Mas será que precisamos ficar presos a esta polaridade? Não dá para se imaginar uma figura que supere esta escolha trágica, que não seja o desmiolado Epimeteu nem o torturado Prometeu?

ALEX: Veja, Leila, do ponto de vista lógico há *quatro* combinações possíveis. Prometeu é o mal-estar na civilização e Epimeteu é o bem-estar na não-civilização. Mas existem duas outras alternativas. Podemos imaginar o *melhor dos mundos*, que seria a civilização sem o mal-estar, e o *pior dos mundos*, que seria o mal-estar sem a civilização. O ideal, é claro, seria caminhar para algum tipo de equilíbrio: encontrar o *ponto certo* na permuta, ou seja, alcançar os confortos e poderes da racionalidade de Prometeu, mas sem ter que abrir mão da espontaneidade afetiva e do doce e inconseqüente desregramento de Epimeteu. Apurar a forma sem perder o fogo...

MELO: Desculpe interromper, Alex, mas é só um pequeno rodapé ao que você acaba de dizer. O que você está sugerindo era já debatido no século XVIII. O genial Diderot, que além de editor da *Encyclopédie* não tinha a menor paciência com o primitivismo de seu amigo Rousseau, se declarava "convencido de que a diligência humana já foi longe demais". "Creio que há um limite na civilização", ele afirmou, "um limite mais de acordo com a felicidade do homem em geral e muito menos distante do estado selvagem do que se imagina; mas como retornar a ele, depois que foi abandonado, ou como ficar nele, se ainda existe?" E ele responde: "Eu não sei".

ALEX: E quem poderia dizer que sabe? A diferença é que nós estamos no século XXI, com três revoluções tecnológicas, duas guerras mundiais, alguns campos de concentração e duas bombas atômicas pelas costas. Mesmo os economistas modernos, é bom que se diga, pelo menos os que se recusaram a parar de pensar, deram-se conta de que nem tudo era felicidade na riqueza das nações. Frank Knight, por exemplo, que leva a pecha de ser um "neoliberal de direita", foi claro ao afirmar que "não se pode sustentar que a civilização por si mesma faz os homens 'mais felizes' do que eles são na condição selvagem".

Na outra ponta do espectro ideológico, Keynes antecipava o dia em que, graças ao avanço tecnológico e à acumulação de capital, o "problema econômico" deixaria de absorver o melhor da atenção e das energias dos homens. Em seu ensaio sobre "As possibilidades econômicas para os nossos netos", publicado em 1930, ele celebrou as conquistas que nos trouxeram até o "regaço da abundância", mas apenas como uma ponte necessária para outro fim. O futuro, imaginava ele, pertenceria àqueles para os quais a "arte de viver" importava mais do que a "arte de acumular". O centro de gravidade da vida humana deixaria de ser o "detestável amor ao dinheiro" e, em seu lugar, a arena das mentes passaria "a ser ocupada pelos nossos problemas reais — os problemas da vida e das relações humanas, da criação, da conduta e da religião". "Serão os povos que souberem manter viva e cultivar até um ponto mais pleno de perfeição a arte da vida, sem se vender pelos meios de vida, que estarão aptos a usufruir da abundância quando ela chegar." Sobrará algum?

A abundância prevista por Keynes para os seus netos chegou. Nos países ricos, a prosperidade dos anos dourados do pós-guerra e da globalização triunfante foi *além* das suas expectativas. Mas o "problema econômico", ao contrário, só faz crescer. Quanto mais a humanidade avança nas condições objetivas de sua superação, mais ela parece ficar prostrada e obcecada por ele. Haverá exagero em dizer que a economia se tornou a religião do mundo moderno?

Assim como o ideal da medicina é permitir que o paciente "esqueça" a saúde a fim de poder viver a sua vida sem restrições, o ideal da economia deveria ser a eliminação do econômico do rol das preocupações humanas. Vocês não concordam que existe algo de profundamente errado, doentio talvez, numa forma de vida que, quanto mais avança na esfera econômica, mais enredada e rendida parece ficar à sua tirania? As pessoas hoje em dia seguem o movimento das bolsas em quatro continentes, mas não sabem quem são seus vizinhos de bairro...

Fiz uma conta simples: a geração dos netos que Keynes não teve (ele nasceu em 1883 e não teve filhos) chegaria à idade adulta nos anos 60 e 70. Portanto, foram os "netos" de Keynes nos anos 60 que tentaram, com suas flores, drogas e canções — com os protestos libertários e com os movimentos hippie e beatnik —, construir uma forma de convivência mais liberada, autêntica e voltada para valores não-materiais. E no que deu tudo aquilo? O devaneio da contracultura durou pouco. A nossa geração, nascida em meados dos anos 50, já pegou a ressaca brava dos 70 e o total revertério das décadas seguintes. Chegamos tarde demais para a festa. Quando mal despertávamos para a vida ficamos sabendo que "o sonho acabou", como profetizou na época John Lennon.

Mas o que eu me pergunto é se os anos 60 foram um episódio completamente anômalo e desgarrado, um raio em céu azul, ou se não fariam parte de algum tipo de padrão cíclico e recorrente, como uma espécie de manifestação a céu aberto de correntes profundas que, embora em estado de dormência, permanecem vivas e podem voltar a aflorar. Seja como for, Leila, volto ao que dizia no início. Do ponto de vista da tese da permuta, a utopia seria *a civilização sem o mal-estar*. Os países em desenvolvimento não precisam repetir os erros e absurdos dos que já atravessaram o rubicão. Mas existe o outro lado da moeda. O pesadelo é tentar o melhor dos dois mundos e terminar sem mundo algum — *o mal-estar sem a civilização*. Prometeu pobre, Epimeteu triste.

OTTO: Os exemplos que vocês estão dando são sugestivos. A saga dos dois irmãos titãs dá mesmo o que pensar. Creio, contudo, que existe uma falha básica no argumento da permuta civilizatória. Os agrupamentos humanos, assim como as pessoas, têm diferentes valores. Alguns prezam mais a igualdade, outros a liberdade; alguns dão mais valor ao sucesso financeiro, outros às relações pessoais. Cada cultura, em suma, incorpora um sonho, não necessariamente coerente, de felicidade. O que você *não* pode fazer é forçar as mais diferentes culturas num mesmo e linear *continuum* que vai do *zero* ao *máximo* de civilização. As fantasias humanas são complexas e avessas a esquemas unidimensonais. Elas não cabem no fio estendido de um varal.

O fato é que quando o que está em jogo é o bem-estar subjetivo e o ideal de felicidade de uma cultura, as diferenças *entre* os imigrantes mexicanos, os napolitanos e os iorubas, para ficarmos apenas com os exemplos citados, são pelo menos tão relevantes quanto as diferenças entre todos eles e os povos protestantes do hemisfério norte.

O que podemos fazer — e nisso concordo com você, Alex — é examinar a coerência e consistência interna de um ideal de felicidade. Às vezes nós não nos damos conta dos custos implícitos em certas escolhas. O que eu rejeito é a idéia de que alguém possa escolher em nome de uma sociedade o que ela deve ter como ideal de felicidade ou, como você parece propor, qual seria o "ponto certo" na suposta permuta civilizatória. Ninguém pode obrigar as pessoas a serem felizes desta ou daquela maneira. Elas é que devem escolher. Se preferirem uma vida mais simples, despojada e despreocupada, ótimo. Se preferirem se contentar com o que possuem a se atormentar pelo que não possuem, maravilha. Que sejam felizes. O que não podemos admitir é que alguém retire delas a possibilidade de escolha.

Daí que a minha utopia, se é que se pode chamá-la assim, seja mais modesta. Vejam o que foi o século XX. Vejam os atentados terroristas que inauguraram o século XXI. Nada se revelou mais devastador de vidas e valores humanos do que as guerras e as perseguições violentas motivadas pela convicção fanática de alguns sobre a superioridade de suas raças, religiões ou ideologias. Se nós conseguíssemos garantir um mínimo de respeito e tolerância pela imensa diversidade da pessoa humana; se pudéssemos selar um pacto sagrado preservando um mínimo de "decência" nas relações entre os homens, como dizia Isaiah Berlin, eu já me daria por satisfeito.

Parece pouco, eu admito. Nada que inspire um jovem à embriaguez de uma grande causa. Mas em face do que tem sido a história humana recente, penso que estaria ótimo. Já é tão complicado para cada um de nós saber o que realmente deseja na vida, quanto mais decidir em nome de povos inteiros. Se os indivíduos compartilham determinados valores, então que descubram quais são eles e que busquem realizá-los num ambiente de liberdade e total respeito por quem diverge. Entretanto, pelo que tenho notado em nossas conversas, suspeito que a minha tolerância para com o outro e o meu respeito pela pluralidade dos ideais de felicidade das diferentes culturas sejam maiores que os de vocês.

LEILA: O que você chama de respeito e tolerância, Otto, me parece passar perigosamente perto da *indiferença.* Respeitar e tolerar um ponto de vista diferente do seu não significa considerá-lo tão válido como qualquer outro. Se você concorda que existe um núcleo de valores universais que deveria ser sagrado e acatado por todos sem exceção, então você admite que nem tudo pode e deve ser tolerado. Mas até onde vai o núcleo? A escravidão, a proibição do voto feminino e a prisão de homossexuais eram práticas correntes e legais em sociedades que se imaginavam justas e civilizadas. Quer dizer então que deveriam ser respeitadas e toleradas?

Se opiniões morais, como você propõe, fossem simplesmente "questão de gosto" e "gosto não se discute", cada um que cuide do seu, nós ainda estaríamos surrando alunos rebeldes e linchando adúlteras. Transporte-se por um momento para o futuro, Otto, e olhe para trás, para onde estamos agora. Você tem dúvida de que usos e costumes correntes hoje em dia, em áreas como relações de trabalho, ecologia e tratamento de crianças e idosos serão encarados, no futuro, como práticas tão aberrantes do ponto de vista ético como os piores excessos cometidos por nossos antepassados? Olhe ao redor de si. Considere o abismo entre o que *somos* e o que *podemos ser — o que temos tudo para ser.* Você tem alguma dúvida de que a injustiça e a desigualdade, o egoísmo desenfreado e a estupidez do mundo em que vivemos só poderão deixar a posteridade perplexa e estupefata, se é que haverá posteridade para se lembrar de nós?

Creio que no abstrato, Otto, você está coberto de razão. Mas no concreto você está se omitindo. Tome a questão do pluralismo cultural que você tanto preza. O que temos visto de fato nas últimas décadas? O florescimento da diversidade e da experimentação na arte da vida? Só um cínico poderia responder que sim. Na prática, com o fim da Guerra Fria, a ascendência do poder e da indústria cultural americanos se tornou devastadora. Nada é imposto, nada é enfiado goela abaixo da garganta global — a "soberania do consumidor" é um dogma intocável. É assim que o cinema, a tevê, a música e a propaganda americanos penetraram nos pontos mais remotos do planeta. Viram a última? A tevê a cabo chegou ao Butão. De agora em diante, as crianças budistas crescerão expostas à radiação colorida da Cartoon Network e MTV. Em breve, os jovens butaneses estarão freqüentando shows de rock, comendo fast-food e protestando contra a globalização — lutando com os jovens de todo o planeta "por um mundo melhor". É patético.

Você fala em diversidade e tolerância para com o outro, mas olhe a coisa por outro ângulo. Será que os "gostos e preferências" dos consumidores não vêm sendo sistematicamente distorcidos por um bombardeio de estímulos e uma máquina de propaganda mais ferozes que qualquer poderio militar? Será que não estamos presos a alguma forma de armadilha ou mecanismo social que nos arrasta, contra o nosso melhor juízo, rumo a uma "corrida armamentista do consumo", como o Alex sugeriu no último encontro? Você chamaria a tudo isso de respeito e tolerância para com a diversidade dos valores?

Pois saiba que, para mim, se parece bem mais com *opressão* e *massacre.* Se as culturas existentes no mundo não se alinhavam antes no tal *continuum* de que você fala, parece claro que a globalização está se encarregando de forçar cada uma delas, sem exceção, para dentro dele. Confesso que tenho dúvidas tremendas sobre como lidar com tudo isso. Mas de uma coisa, Otto, estou completamente certa. A uniformização predatória dos valores e das formas de vida existentes no mundo *não me deixa indiferente.*

ALEX: O que mais intriga é que nem mesmo os próprios americanos parecem satisfeitos. Uma pesquisa realizada nos Estados Unidos, no início dos anos 90, revelou que 89% dos americanos consideram a sociedade em que vivem demasiadamente preocupada com dinheiro e 74% julgam que o materialismo exagerado constitui um grave problema social.

O que esses números mostram é que a maioria da sociedade americana não se reconhece nos valores que governam a sua convivência. O paradoxo agride. Se eles de fato não se reconhecem nesses valores, se estão descontentes com o seu modo de vida centrado no dólar ("in God we trust"), por que então vivem assim? E se isso ocorre nos Estados Unidos, o que dizer do restante da humanidade?

A tensão é clara. Há um conflito entre o sistema motivacional e o sistema valorativo. As pesquisas mostram que mais da metade da população dos Estados Unidos, a nação mais rica do planeta, afirma não conseguir comprar tudo do que realmente necessita. O sonho de um mundo menos escravizado pelo valor econômico se choca com a realidade da força da motivação econômica na vida de cada um. Os americanos são animais humanos atordoados e perplexos como nós. O conflito entre valores sonhados e valores vividos — o pesadelo de uma convivência desgovernada que nos afronta e ameaça — é sintoma de ambivalência e alienação. Há uma guerra antiimperialista no peito de cada um de nós. É daí que pode surgir o novo.

LEILA: Ah, então pelo que vejo agora existe ainda um raio de esperança em você, apesar de todo o pessimismo do último encontro. Afinal, você acredita ou não em mudança de valores?

ALEX: Deve ter sido o seu entusiasmo, Leila. Acho que o calor da sua empolgação me contagiou...

LEILA: Bom, seja como for, é meu dever como coordenadora avisar que o nosso tempo por hoje, infelizmente, acabou. Embora a conversa tenha seguido por rumos diferentes do que eu imaginava de início — ninguém se aventurou a discutir aquela minha idéia da crise da ecologia psíquica e ninguém se deu ao trabalho de esmiuçar os processos pelos quais a civilização entristeceria o animal humano —, creio que o saldo, ainda assim, foi positivo. Desfizemos alguns mal-entendidos, ouvimos exemplos e relatos ilustrativos e marcamos com razoável clareza as nossas (não poucas) divergências. É lógico que eu não convenci o Otto, nem ele a mim. Espero, porém, que tenhamos conseguido aprender a apreciar um pouco melhor não só as diferenças que nos separam, mas, sobretudo, os pontos de vista e as opiniões dos quais discordamos.

Concluo com um verso do poeta latino Horácio que poderia servir de epígrafe ao meu ensaio de abertura: "Você pode expelir a natureza com um varapau pontiagudo, mas ela sempre retornará". Os limites impostos pela natureza externa do planeta e pela natureza interna do animal humano precisam ser mais bem compreendidos e respeitados. Se não soubermos mudar a tempo a trajetória em que nos metemos, a *nemesis* da nossa *hybris* civilizatória desabará sobre as gerações futuras com a força de uma crise ecológica devastadora — ambiental, psíquica ou ambas. Quando a natureza berra, acabou a conversa. Os sinais, quero crer, aí estão. A natureza sempre retorna.

QUARTO ENCONTRO

A pílula da felicidade instantânea*

A consciência pesa. Em casos extremos, o tormento da vida ciente de si adquire tal força que o animal humano reflete e contempla com amarga nostalgia a perda de sua inocência animal. O que nos aconteceu? De onde a sina de um viver cindido e aflito, expectante do inalcançável e à míngua de explicações? Por que não nos é dada a vida simplesmente, a venturosa e plena inconsciência do mero existir? O poeta americano Walt Whitman dá expressão ao sentimento em versos memoráveis:

> Eu penso que poderia volver e viver com
> animais, tão plácidos e autocontidos,
> Eu paro e me ponho a observá-los longamente.
> Eles não se exaurem e gemem sobre a sua
> condição,

(*) As leituras complementares recomendadas por Alex, em ordem de importância, para o quarto encontro foram: Robert Nozick, "Happiness"; B. Hoebel et al., "Neural systems for reinforcement and inhibition of behavior: relevance to eating, addiction, and depression"; e Roland Puccetti, "Is pain necessary?".

Eles não se deitam despertos no escuro e
choram pelos seus pecados,
Eles não me deixam nauseado discutindo o seu
dever perante Deus,
Nenhum deles é insatisfeito, nenhum
enlouquecido pela mania de possuir coisas,
Nenhum se ajoelha para o outro, nem para os que
viveram há milhares de anos,
Nenhum deles é respeitável ou infeliz em todo o
mundo.

Ética à parte, o desejo de se livrar do fardo da autoconsciência é compreensível. Na vida cotidiana, a regressão periódica a um estado pré-consciente e pré-lógico é parte da ordem natural das coisas. O ciclo circadiano que divide o fluxo da nossa experiência subjetiva em fases alternadas de atenção desperta (dia) e obliteração dormente (noite) oferece um testemunho da necessidade vital e sempre renovada de suspender por algum tempo a tirania da consciência desperta e mergulhar no universo sem pecado e sem lei que aflora na mente de quem dorme.

O prazer do sono e do sonho constitui uma espécie de férias da consciência conscienciosa — uma "viagem" cotidiana à selva subterrânea e ao simples existir com que sonha acordado o poeta. No mito prometéico, a regeneração do fígado de cada dia ocorre durante a noite. Ela é o trabalho silencioso e noturno da mente adormecida.

O sono noturno, entretanto, não se confunde com sonambulismo. A idéia de voltar a um passado de inocência e suposta leveza do ser abriga uma singular contradição. A armadilha está no projeto de <u>tentar não pensar</u>. Pois a estrada que leva à conclusão de que o melhor seria viver sem pensar é ela própria fruto do pensamento: o caminho nega o ponto de destino. A intenção de se abrir mão da autoconsciência pressupõe uma aguda consciência de si por parte de quem a alimenta. Ao se chegar a isto, portanto, já é tarde, ou seja, já se pensou e concluiu.

A vida irrefletida jamais poderá ser alcançada por um ato de reflexão. Uma vez aberta a porta e ocupada a redoma da autoconsciência não há mais volta deliberada possível — não há como retroceder no enredo. Ao contrário: a idealização poética ou filosófica de uma suposta felicidade animal apenas sublinha e torna ainda mais saliente o fato bruto e inescapável do nosso viver consciente.

Mas a sagacidade humana não se rende com facilidade. Se a porta da frente trancou e a chave do deliberar consciente não serve, por que não escapar pela porta dos fundos? Se o caminho da reflexão e da intenção subjetiva não dão conta do desejo de reduzir o fardo de uma autoconsciência que pesa e faz sofrer, por que não tomar o atalho da intervenção objetiva por meio da manipulação tecnológica?

Na luta pela felicidade, o homem se deu conta de que o mundo natural podia ser transformado e submetido aos seus desígnios. O corpo do animal humano é parte dessa natureza. Ao se perceber e tomar como objeto de si mesmo, o homem descobriu que era possível alterar e manipular a sua natureza orgânica tendo em vista não só o bem-estar objetivo da saúde física, mas também o subjetivo da felicidade. Se "a vida é uma doença incurável", como declarou o poeta inglês Abraham Cowley no século XVII, então por que não buscar um remédio que alivie os sintomas e o desconforto?

A idéia de alterar estados de consciência por meio da manipulação da química cerebral pode soar moderna, mas o sonho vem de longe. Não é de hoje que se especula, se fantasia e se experimenta em torno de facilitadores químicos e soluções mágicas para vencer o desafio de afastar o sofrimento e ser feliz. A farmacopéia psiquiátrica do animal humano remonta ao ambiente ancestral. Cada tribo guarda o seu segredo. A mais antiga língua escrita de que se tem registro — o idioma sumério praticado no sul da Mesopotâmia desde o terceiro milênio a.C. — continha um ideograma específico denotando a papoula da qual se extrai o ópio como "a planta da alegria".

A bela e cortejada Helena, segundo o relato de Homero na Odisséia (IV, 220-32), possuía o segredo de uma planta egípcia cuja infusão em vinho dissipava a melancolia e fazia esquecer todos os males. O nepentes (grego nepenthos: "antipreocupações") era tão eficaz contra o sofrimento e a tristeza, esclarece o poeta, que "àquele que o tragasse, depois de ter sido misturado ao vinho, não lhe correriam mais, em todo o dia, as lágrimas pela face, nem mesmo se lhe morressem a mãe e o pai ou se lhe matassem com o bronze, na sua presença, o irmão ou o filho". A poção de Helena de Tróia, provavelmente uma solução de ópio em álcool, adormecia os circuitos da dor psíquica.

Outro exemplo notável vem do libreto de A flauta mágica de Mozart. A diferença é que o princípio ativo, nesse caso, não era um agente químico, mas um estímulo auditivo. A propagação das ondas sonoras e sua ação sobre os sentidos e o sistema nervoso, vale lembrar, são uma realidade tão impecavelmente física (embora não só isso, é claro) quanto a ingestão de um gole de vinho.

A flauta mágica, talhada das raízes mais profundas de um carvalho milenar em noite trovejante, tinha o dom de transfigurar o humano sofrer. Ao ouvi-la, o tristonho se enche de alegria, a solteirona sonha e o velho solitário se enamora. "Esta flauta", celebra o coro da ópera, "é mais preciosa do que o ouro e as coroas, pois graças ao seu poder irão crescer o júbilo e o contentamento entre os homens." Quando o céu da paisagem interna anda cinza, de que bênçãos e reviravoltas o sopro encantado da música não é capaz?

Seria ótimo, não é mesmo? Dispor de um remédio infalível — um recurso como o nepentes homérico ou a flauta mágica —, capaz de afastar com um sopro as nuvens negras e as preocupações que assombram a mente, inundando-a suavemente de um bem-estar indizível, como nos melhores dias de nossas vidas. Não foi à toa que Francis Bacon, o grande precursor renascentista da ciência a serviço da técnica e do resgate da condição humana, vaticinou que aquele que descobrisse o segredo da "alegria solúvel em sangue" teria encontrado "a chave da vida eterna". A tecnologia farmacêutica de drogas lícitas e ilícitas é o braço psiquiátrico do projeto iluminista-faustiano da conquista da felicidade por meio da crescente dominação da natureza pelo homem.

"O que hoje está provado ontem era apenas um sonho." O que parecia distante no tempo vai se tornando visível no horizonte do exeqüível. Os avanços recentes no campo da bioquímica, da neurociência e da chamada "neurotecnologia" prenunciam a chegada do dia em que o sonho dos poetas e visionários do passado poderá se tornar realidade. Paralelamente, o apetite do público pelas novidades da indústria farmacêutica parece insaciável. Da calvície à obesidade, da insônia à impotência sexual, da ansiedade à perda de memória — há remédio para tudo. A farmacopéia moderna pode exclamar com o conde de Mirabeau: "Impossível? Nunca me diga essa palavra ridícula!". O caminho do paraíso está pavimentado de fórmulas, prescrições e bulas medicinais.

O alvoroço em torno das possibilidades abertas pelo avanço da tecnologia biomédica dá o que pensar. Boa parte das drogas que vêm empolgando os mercados tem por finalidade não a defesa do organismo contra doenças que ameaçam ou debilitam a saúde, mas sim a expansão da nossa capacidade de desfrutar prazeres, sentir satisfação em sermos quem somos e gozar ativamente a vida. Não são remédios apenas "defensivos", ou seja, voltados para o reparo de deficiências e anomalias; são drogas "ofensivas" (life style, no jargão farmacêutico) à base de substâncias que visam à ampliação do campo de experiência e à propulsão de "vôos mais altos" do bem-estar subjetivo — armas químicas na guerra de conquista pela torre da felicidade.

A finalidade dessas drogas não é fazer com que o paciente volte à normalidade ou se sinta menos mal, mas sim levar o usuário a ficar "mais do que bem", isto é, a ir além de sua condição normal. O problema, porém, é que o que parecia ser apenas um desafio tecnológico vai se revelando uma complexa e espinhosa questão de escolha moral. Até onde pode levar esse caminho? Estaremos aptos a encarar os dilemas da hora fatal que se aproxima?

Suponha, para efeito de raciocínio, que todas as dificuldades técnicas e de ordem prática foram vencidas. A "pílula da felicidade instantânea" — uma nova e revolucionária megadroga testada e aprovada pelos órgãos médicos competentes — aterrissou com um estardalhaço maior que o do Viagra nas prateleiras das farmácias. Diante dela, drogas que viveram os seus quinze minutos de glória, como Oblivon, Zoloft, Paxil e Prozac, ficaram tão obsoletas e limitadas como o lampião a gás, o gramofone de manivela e o cinema mudo. O novo remédio não custa mais do que um picolé, não causa dependência física, não suscita uma escalada de consumo, não gera síndrome de abstinência nem possui efeitos colaterais indesejados do ponto de vista médico.

Mais importante: a pílula tem um efeito estritamente *psíquico*, ou seja, restrito aos circuitos neurológicos da vivência subjetiva, e foi projetada de modo a não interferir de nenhuma forma no desempenho das tarefas e ofícios da vida prática. Ela não interfere nos circuitos da dor e do desconforto *físicos*, como por exemplo a fome, a sede e o estresse muscular, nem nos comportamentos que esses "sinais de alerta" motivam visando a sua supressão.

Ao tomar a pílula, calibrada precisamente de acordo com as características da bioquímica cerebral de cada um, a pessoa permanece cumprindo como antes a sua parte na divisão social do trabalho. Ninguém deixará de preencher a declaração do imposto de renda por causa dela. O engraxate continua engraxando, o fiscal continua fiscalizando e o especulador, especulando.

A grande diferença é que agora todos podem prosseguir no seu dia-a-dia, fazendo exatamente o que sempre fizeram para ganhar a vida, mas imersos numa subjetividade exuberante, entregues a uma suave e arrebatadora euforia, sentindo-se como verdadeiros deuses que, ao baixar à Terra, preferiram o simples disfarce de cidadãos comuns.

As demandas do corpo ainda precisam ser atendidas. Mas, uma vez eliminados os ruídos e vestígios dos déficits e desconfortos corporais, nada de mau os alcança. Como no ideal estóico, o Olimpo subjetivo se liberta por completo das vicissitudes do contexto e das circunstâncias objetivas. Se "a felicidade consiste em querer ser o que se é", como propõe o poeta latino Marcial, então a pílula matou a charada. A felicidade que ela proporciona pode ser adquirida por uma bagatela e levada no bolso da calça. Nem a superpopulação do Olimpo subjetivo impedirá cada um de viver ao sol perpétuo do seu paraíso artificial privativo. Entre as propriedades da pílula está a de que, sob o seu efeito, o usuário não se recorda de que o bem-estar exuberante que está sentindo é apenas um truque que aplicou sobre si mesmo. É só tomar e curtir.

A pílula está aí. Na condição natural do animal humano, a felicidade é um pássaro caprichoso. Voa quando voa e não quando pretendemos que voe. Podemos perfeitamente marcar de antemão os dias da semana em que desejamos fazer exercício físico ou sair à noite, mas seria absurdo supor que podemos escolher na folhinha as datas e ocasiões em que desejamos nos sentir plenamente felizes. O nosso bem-estar subjetivo é refratário aos ditames, decretos-lei e medidas provisórias da vontade consciente. O advento da pílula, entretanto, altera dramaticamente o quadro.

A primeira escolha é: experimentar ou não? A curiosidade, é plausível supor, leva a melhor. Se não é ilegal e se estão todos tomando, por que não? Depois de conhecê-la, contudo, como aceitar a mesmice de dias insípidos, a velha angústia inexplicável do espírito por nenhuma causa? Mas, tendo visitado o paraíso bioquimicamente determinado em que o tempo se redoura por uma bagatela, em nome do quê abrir mão agora do dia de ouro escondido em cada dia?

Uma primeira questão, portanto, é saber se o atalho químico da felicidade tem caminho de volta, mesmo na ausência de dependência física. O mais provável é que o recurso à pílula, uma vez testado, se torne tão trivial como o consumo de bebidas e aspirinas hoje em dia.

Mas o problema maior, creio, não é a dependência psicológica da droga. É o que ela acarretaria do ponto de vista da condição moral do homem. Quais seriam as implicações práticas e éticas dessa possibilidade? O que o experimento mental da pílula nos diz sobre o conceito de felicidade e sobre o lugar e o papel do bem-estar subjetivo na melhor vida ao nosso alcance? O que esperar do progresso científico e tecnológico para a solução dos problemas éticos e existenciais da humanidade? Se a felicidade é a finalidade maior da vida — o objetivo derradeiro ao qual tudo o mais se subordina —, então por que não viver em estado de embriaguez extática? Ser feliz é só o que importa?

MELO: Antes de começar, Alex, apenas uma breve curiosidade. Você citou no texto uma observação de Bacon sobre a alegria solúvel em sangue como "a chave da vida imortal". Tentei localizar a passagem em várias obras dele, mas sem sucesso. Qual é exatamente a fonte da citação?

ALEX: Agora você me pegou, Melo. Na verdade eu não tirei isso diretamente da obra de Bacon, mas de uma passagem das *Confissões de um inglês comedor de ópio* em que o Thomas de Quincey atribui isso a ele. Curiosamente, a mesma alusão a Bacon aparece num livro recente — *The pursuit of oblivion*, de Richard Davenport-Hines —, e que é uma verdadeira bíblia de informações sobre a evolução da pesquisa, produção e consumo de drogas no mundo nos últimos cinco séculos. Quincey faz a referência sem dar a fonte primária e Hines praticamente repete as palavras de Quincey ("making myrrh soluble by human blood"), só que, além de não dar a fonte primária, ele também não dá nenhuma indicação da fonte secundária na qual claramente está se baseando...

MELO: Não me surpreende. Eis aí um ótimo exemplo de como nascem e ganham vida própria as legendas e mal-entendidos em história das idéias. Eu não ficaria nada surpreso se o Quincey — que, diga-se de passagem, assim como outros românticos, nunca primou por excesso de zelo acadêmico em seus escritos — simplesmente tiver *inventado* essa história. O procedimento é mais comum do que se supõe, e nem sempre deliberado. Keynes, por exemplo, não teve a menor cerimônia em fabricar uma conveniente alusão de Lênin à inflação como sendo "a melhor forma de destruir o sistema capitalista". Eu andava havia tempos tentando rastrear essa maldita passagem até que um dia me encontrei por acaso, numa conferência, com o editor-geral dos *Collected writings* de Keynes, Donald Moggridge. Na saída, fui lá perguntar a ele qual era a fonte da referência. Ele me olhou e disse com a maior tranqüilidade do mundo: "Lênin nunca disse aquilo; Keynes inventou a coisa para assustar os leitores". É pena que na hora eu não tenha tido a presença de espírito para cobrar dele por que isso não tinha sido explicado nas copiosas notas de sua maravilhosa edição.

O fato é que o mal-entendido, proposital ou não, é uma das forças mais poderosas da vida intelectual. Dá para entender o que levou Jacob Viner, ex-professor de história do pensamento econômico em Chicago, a concluir que "a média das referências modernas aos economistas clássicos é de uma ignorância tão crassa que ela não merece ser sequer notada, quanto mais refutada". Nos últimos anos, a coisa piorou ainda mais. Como diz o historiador de idéias Alexandre Koyré, "as discussões entre filósofos se parecem no mais das vezes com um diálogo de surdos".

OTTO: Seguramente não é o nosso caso... [RISOS] Mas eu também queria esclarecer um ponto antes de partirmos para a discussão das questões propostas. Felicidade não é uma coisa absoluta. Como as noções de quente ou frio, ela só se define pelo contraste com o seu oposto. Se você eliminar a infelicidade, então não há mais por que falar em felicidade — fica tudo a mesma coisa.

O problema com a conjectura da pílula, Alex, é que ela viola um princípio básico da psicologia que é a chamada lei da utilidade marginal decrescente. Se você ficar sem ingerir líquido durante um dia, o primeiro copo de água após o jejum será intensamente prazeroso. Mas se logo em seguida você tomar outro copo, o prazer já será menor. O terceiro exigirá algum esforço; e o quarto, só se for obrigado. Tudo o que dá prazer na vida é assim — a partir de um certo ponto satura, deixa de satisfazer e começa a ficar positivamente desagradável. O ser humano foi constituído de tal maneira que ele só sente prazer e satisfação ao passar de uma condição a outra, ao experimentar algum tipo de contraste, e não ao permanecer indefinidamente na mesma situação, não importa quão agradável ela seja. Daí a razão pela qual, como lembra o poeta, "tristeza não tem fim, felicidade sim". Os momentos de exuberância subjetiva e de intensa felicidade são por natureza fugazes. Se todo dia é carnaval, acabou o carnaval. A garota de Ipanema é, por definição, a "que vem e que passa", jamais a que fica. O que ficou difícil de engolir na história da pílula é que ela viola esse princípio básico da nossa psicologia.

ALEX: Você está coberto de razão, Otto, ao levantar esse ponto. É uma dificuldade que eu também me coloquei no início, mas depois acabei resolvendo. Veja só. Os cientistas que estudam a neurofisiologia — a localização e a função específica das diferentes partes do cérebro — fizeram uma descoberta estonteante. Eles conseguiram identificar os centros de prazer no cérebro dos mamíferos e mostraram que é possível "driblar" a lei da utilidade marginal decrescente. Prazer perpétuo.

O experimento clássico, feito com ratos de laboratório, induz o animal a se auto-estimular por meio de uma alavanca que ele pressiona. Toda vez que ele aperta a tal alavanca por meio segundo, um eletrodo implantado no seu hipotálamo lateral solta uma pequena carga de eletricidade naquele ponto. O efeito disso é fazer com que o hipotálamo acione o circuito que libera o neurotransmissor dopamina, assim como ocorre quando o rato se alimenta ou copula. Ao pressionar a alavanca, portanto, o animal estimula diretamente o centro de prazer no seu cérebro, como se estivesse obtendo "comida elétrica" ou "sexo elétrico". A diferença é que agora o seu apetite é insaciável. O prazer da descarga elétrica é tão intenso e gratificante que o rato se desinteressa por tudo o mais, inclusive alimento e sexo, e passa a se auto-estimular dia e noite, cerca de 3 mil vezes por hora, até o colapso por esgotamento. Não é à toa, diga-se de passagem, que as drogas que estimulam a liberação de dopamina no cérebro, como heroína, morfina, cocaína e nicotina, não apenas viciam como reduzem o apetite.

O que esse experimento revela é que o princípio da utilidade marginal decrescente não é uma fatalidade inescapável. Ele pode ser neutralizado por um animal que seja capaz de contornar o seu sistema nervoso periférico — por onde passam os estímulos naturais que estão sujeitos à saciação —, e que consiga *ir direto ao ponto*, ou seja, auto-estimular os centros de prazer no cérebro. Do ponto de vista da biologia darwiniana, a utilidade marginal decrescente faz sentido. É ela que previne um animal de se exceder no exercício de uma atividade que lhe seja especialmente prazerosa, o que reduziria a sua capacidade de sobreviver e procriar. Mas o animal humano não se contenta com pouco. Assim como a descoberta da lei da gravidade permitiu ao homem deliberadamente manipular os seus efeitos e fazer um avião voar, os avanços da neurociência estão permitindo compreender e controlar cada vez melhor a mecânica do bem-estar subjetivo. Chegará o dia em que a posteridade se divertirá ao relembrar como eram primitivas e precárias as drogas lícitas e ilícitas que usamos hoje em dia.

A pílula da felicidade, portanto, atuaria diretamente sobre os centros de prazer, mas com uma diferença crucial: ela em nada prejudicaria os processos e comportamentos que preservam a saúde física do organismo. O que a pílula faz é neutralizar todas as causas imaginárias de dor e sofrimento, como, por exemplo, a consciência antecipada da morte ou o medo do inferno. Ao mesmo tempo, ela é capaz de recriar no cérebro a configuração bioquímica do perfeito bem-estar subjetivo, como no dia em que você se apaixonou pela primeira vez ou o seu time ganhou o campeonato mundial. A pílula permite eternizar aquele instante perfeito em que a vida parecia completa. Ela põe ao nosso alcance, *todos os dias*, o melhor dia de nossas vidas.

Mas os detalhes da conjectura são de importância secundária. Tudo não passa, é claro, de um "experimento mental". Eu poderia igualmente estar falando, digamos, de um "botão da renda psíquica" — você aperta e pronto, é como se de repente você se sentisse como um bilionário, um Bill Gates da subjetividade. A idéia aqui não é discutir o grau de realismo da coisa, mas as suas implicações conceituais e éticas. O que vocês, por exemplo, fariam? Tomariam ou não a pílula?

OTTO: Se eu a usaria de forma corriqueira, é difícil saber de antemão; mas eu certamente experimentaria.

MELO: Não sei... Eu ficaria curioso, sem dúvida. É bem provável até que acabasse não resistindo e tomando alguma. Mas acho que ia esperar um bom tempo antes, para saber como ela estava afetando as pessoas em geral.

ALEX: E você, Leila? Estou estranhando o seu silêncio...

LEILA: Pois eu *não* só não tomaria a tal pílula como faria tudo ao meu alcance para que ela fosse banida legalmente. Mais que isso. Se pudesse, eu me encarregaria de garantir que a fórmula fosse destruída e varrida para sempre do universo.

ALEX: Mas que reação violenta! Eu não imaginava que você fosse tão conservadora a esse respeito. Não há um certo exagero, uma dose de calvinismo farmacológico nessa postura? Por que tamanha rejeição?

LEILA: Calvinismo farmacológico?! Era só o que faltava! Está patente que vocês não se deram conta da enormidade do que nós estamos tratando. O uso indiscriminado da pílula teria conseqüências tenebrosas para o nosso futuro. Seria o equivalente a um ato de *suicídio moral coletivo* da humanidade. Nietzsche dizia que a crítica mais afiada de um autor ou de uma filosofia de vida se dá quando nós delineamos o que seria o seu ideal. A conjectura que você nos propõe, Alex, faz precisamente isso. Ela põe o dedo na ferida. Ela ajuda a escancarar o que há de mais terrível, para não dizer monstruoso, com o ideal iluminista-faustiano de felicidade, ou seja, com a idéia de que o bem-estar da humanidade pode ser conquistado a ferro e fogo, por bem ou por mal, através do crescente domínio científico-tecnológico da natureza. O cérebro humano é a derradeira fronteira dessa empreitada.

Considerem, para começar, as implicações *políticas* da pílula. É difícil conceber uma arma mais poderosa de apaziguamento e controle social. O sujeito toma a droga e pronto — não há mais do que reclamar. Resignação e êxtase. Pode ser o campo de concentração, a fila da previdência, o canavial nordestino ou a periferia de Calcutá: o inferno objetivo das condições de vida se transmuta em paraíso subjetivo. Tudo é divino e maravilhoso. Os governantes e opressores podem ficar tranqüilos (sem recorrer à pílula). Se as massas não buscarem o perfeito contentamento por si mesmas, o que seria o mais provável, a substância pode ser administrada pelos órgãos e canais competentes, dentro do modelo do "pão e circo" romano. Um eficiente programa de saúde pública, inspirado na definição benthaminiana do papel do governo, pode garantir que o "circo bioquímico" — o princípio ativo da pílula — se torne um ingrediente obrigatório na fabricação de pão. Quem sabe aí teríamos o verdadeiro "fim da história"? Afinal, como insistia Hegel em suas aulas sobre a filosofia da história universal, "a História não é o palco da felicidade; nela, os períodos de felicidade são páginas em branco".

Mas não é só isso. Tentem imaginar agora as conseqüências *éticas* do uso da pílula. A primeira idéia que me ocorre é que, na ausência de sentimentos negativos como culpa, vergonha, remorso e arrependimento, todos eles neutralizados por conta da pílula, haveria um dramático enfraquecimento do respeito às normas legais e morais de convivência. As pessoas não se sentiriam psicologicamente inibidas ao praticar os atos mais terríveis. Ao tomar a pílula, o cidadão deixaria de sentir culpa ao prejudicar alguém, ou vergonha ao ser pego. A punição seria apenas o preço do crime — o risco inerente a qualquer negócio ou aposta. Tudo seria uma questão de cálculo frio dos custos e benefícios da transgressão. O poder de fiscalização, vigilância e repressão da polícia teria que ser redobrado, de modo a compensar a ausência de inibidores subjetivos da criminalidade e garantir um mínimo de respeito às leis. O resultado seria ou anarquia ou tirania. Não: o mais provável é que seja a anarquia como prelúdio da tirania. É a grande lição hobbesiana. Quando a ética cívica e o respeito às leis se enfraquecem, surgem aqueles a quem chamamos tiranos...

ALEX: Só um minuto, Leila, porque aí tem um problema no seu raciocínio. Não dá para entender. Se a pessoa tomou a pílula e está absolutamente feliz consigo mesma, então por que ela haveria de querer lesar ou tirar vantagem de alguém? Em nome do quê ela iria correr o risco de ser presa, passar anos a fio na cadeia e, ainda por cima, ficar talvez sem acesso à pílula?

LEILA: Está certo. Você tem razão nesse ponto, mas eu não terminei ainda. Considere também o seguinte. Se a pílula neutraliza *todos* os afetos negativos da mente, tornando-a imune a qualquer sentimento que provoque desconforto e mal-estar, então a pessoa deixa também de sentir inveja, ciúme, desejo de vingança e ressentimento. Ela não vai cobiçar a propriedade alheia, não vai apelar vergonhosamente na luta por um lugar de honra na mente dos seus semelhantes nem quererá ser tida em alta conta por aquilo que ela não é. Desaparecem os motivos para desrespeitar a lei e praticar o mal. Acontece, porém, que a mudança não termina aí. A lâmina corta dos dois lados. O recurso à pílula aproxima o animal humano daquela condição de inocência abençoada e feliz idealizada por Walt Whitman no seu texto de abertura. O que faltou dizer foi o custo dessa opção do ponto de vista ético.

O descontentamento é o motor de toda mudança. O perfeito contentamento da pílula pode trazer paz, alegria e alívio, mas ao custo de aniquilar o que a humanidade tem de melhor — a capacidade de criar, ousar e experimentar na arte da vida. Marvin Minsky, um dos pais da inteligência artificial e pesquisador do MIT, resumiu muito bem a questão: "Se nós pudéssemos deliberadamente controlar os nossos sistemas de prazer, seríamos capazes de reproduzir o prazer do sucesso sem a necessidade de realizar coisa alguma — e isso seria o fim de tudo".

O que vale para o prazer do sucesso vale também, é claro, para qualquer tipo de prazer mental ligado a determinada atividade e, o que é mais grave, vale para todas as formas de realização espiritual associadas ao amor, às relações pessoais, à ajuda ao próximo, à busca do conhecimento e ao trabalho criativo.

É por isso que recorrer à pílula, penso eu, equivaleria a um verdadeiro suicídio moral. Seria nada menos que uma barganha faustiana na qual estaríamos adquirindo uma felicidade espúria em troca da destruição daquilo que temos de mais nobre e elevado, ou seja, o descontentamento sagrado que nos move e nos envergonha diante de nós mesmos e que é a fonte de toda busca genuína e do esforço de transcendência e criação. O ser humano se veria reduzido à condição de um autômato inofensivo e alegrinho — um inseto hedonista e saciado, "casado, fútil, cotidiano e tributável", perfeitamente satisfeito em ser o que é. O atalho químico da pílula se revelaria, na verdade, um tenebroso beco sem saída. "Existem duas tragédias na vida", dizia Bernard Shaw. "Uma delas é não conseguir o que o seu coração deseja; e a outra é conseguir." No caso da pílula, contudo, a segunda opção se tornaria não uma tragédia, mas uma grotesca farsa.

MELO: Não sei se você sabia, Leila, mas o alerta de Marvin Minsky a que você se referiu é quase idêntico ao que concluiu o poeta francês Charles Baudelaire: "Um homem que, com uma colher de doce, pode alcançar instantaneamente todos os bens do céu e da terra, nunca adquirirá a milésima parte deles pelo trabalho. É preciso, acima de tudo, viver e trabalhar".

O caso de Baudelaire é interessante porque ele viveu o drama na pele e passou boa parte da vida buscando se libertar do vício das drogas. O que ele imaginou encontrar nas drogas — o canto da sereia que, na juventude, o seduziu — aparece com clareza num de seus poemas em prosa. "Cada homem", ele refletiu, "traz em si a sua dose de ópio natural, constantemente secretada e renovada; e, do nascimento à morte, quantas horas podemos contar preenchidas pelo verdadeiro prazer, pela ação feliz e resoluta?" O que ele acabou descobrindo, entretanto, é que a tentativa de fabricar o êxtase por meio da droga levava não ao paraíso sonhado — ao "verdadeiro prazer" e à "ação feliz e resoluta" da vida em seu ápice —, mas a um inferno de dependência, esterilidade poética e atrofia da vontade do qual ele desesperadamente procurou se livrar.

ALEX: Que droga ele usava, Melo?

MELO: Haxixe. Algo que, naquela época, assim como o ópio e a cocaína, nem era proibido por lei. Mas o que eu me pergunto às vezes, Leila, indo um pouco mais longe no seu raciocínio, é se não haveria uma conexão entre estados depressivos e criatividade. Examine a biografia dos filósofos, cientistas, músicos e artistas célebres de um modo geral. Não digo que seja uma lei infalível ou uma condição necessária do processo criativo. Há exceções de sobra. Mas é impressionante, de qualquer modo, a freqüência dos casos de fortes oscilações do ânimo e a alta incidência de depressões na vida dos grandes criadores nos mais diversos campos de atuação. De Antero de Quental a Wittgenstein, passando por Darwin, Mahler, Michelangelo, Newton, Fernando Pessoa, Rilke e Virginia Wolf, os exemplos são muitos e dariam para encher um tratado. Quem sabe até ele já não foi escrito?

Um dos casos que mais me chamaram a atenção recentemente foi o de Weber. Eu não sabia que ele havia passado *quatro anos*, e isso bem no início de sua carreira universitária, deprimido a ponto de não conseguir sequer dar aulas. O espantoso é que, assim que ele começou a se recuperar e sentir que suas forças retornavam, ele imediatamente se pôs a escrever e, *em poucos meses*, completou a obra pela qual é até hoje mais lembrado, *A ética protestante e o espírito do capitalismo.*

Imaginem agora um Weber contemporâneo: um jovem professor, em início de carreira, submetido à pressão competitiva do *publish or perish* no padrão americano, e às voltas com uma depressão; um recém-doutor, no ápice do seu potencial acadêmico, mas acometido por uma forte letargia e por uma total incapacidade de se concentrar — Weber não conseguia ler jornais — que o impedem de lecionar e pesquisar, que destroem a sua auto-estima e que começam a se prolongar em demasia. O que aconteceria?

Não parece exagero supor que, de duas uma: *ou* o nosso jovem Weber seria demitido por falta de desempenho; *ou* ele obteria licença médica, receberia tratamento psiquiátrico apropriado à base de antidepressivos e voltaria, sem mais perda de tempo, a exercer suas funções profissionais. A primeira opção seria um golpe adicional em alguém fragilizado — a depressão talvez se agravasse. A segunda alternativa possivelmente permitiria salvar a sua carreira universitária. Ele voltaria a dar aulas e a publicar regularmente artigos bem-comportados em periódicos acadêmicos (quem sabe, por exemplo, exegeses minuciosas de textos menores e inacabados do corpus weberiano). Família, chefe do departamento, médico responsável, superego superexigente — todos felizes e contentes. Tudo de volta ao normal.

Mas o que se perderia nesse caminho? Alguém em sã consciência imagina que o Weber autêntico ou qualquer uma das figuras que mencionei há pouco teria conseguido mobilizar o impulso necessário e criar a sua obra máxima se tivesse evitado a depressão tomando Prozac? A depressão não teria sido, no seu caso, um elemento necessário de amadurecimento espiritual? A pressão de competir e desempenhar a qualquer preço não acaba nos reduzindo a "especialistas sem espírito"? A laboriosos, covardes e produtivos conformistas? Casos como esse me levam a crer que a depressão possa cumprir uma função *incubadora.* Ela abriria caminho a reservas de criatividade e energia realizadora às quais normalmente não temos acesso. Mas se isso é verdadeiro, então a idéia de aliviar o sofrimento a qualquer preço pode constituir um grave empecilho às maiores criações do espírito humano. Seja como for, uma coisa é certa. À luz do contexto e das circunstâncias pessoais do autor, podemos avaliar melhor o terrível peso do que Weber nos diz na *Ética* sobre este grande fantasma da razão protestante que é *perder tempo.* "O desperdício de tempo", ele afirma, "é o primeiro e, em princípio, o mais mortal dos pecados." Weber sabia do que estava falando.

ALEX: Essa questão do uso do tempo me apaixona. A ansiedade do tempo é um dos grandes paradoxos dos nossos dias. Tudo é feito com o intuito de ganhar tempo. Mas há um descolamento terrível entre as conquistas objetivas da tecnologia e a nossa experiência subjetiva do tempo. A sensação é a de que quanto mais economizamos tempo, mais carecemos dele — é a mendicância na opulência. O vírus da pressa se tornou uma epidemia sem controle. Na língua inglesa, por exemplo, já surgiram até expressões novas para denotar o fenômeno, como *time famine* (fome de tempo) e *hurry sickness* (doença da pressa). A pressa, ao que parece, também vicia. E quando não é a pressa, é o *tédio.* Igualzinho à droga. Quem sabe a gente poderia fazer um encontro sobre essa questão mais à frente? Alguém se candidata?

OTTO: Eu queria voltar ao que a Leila estava dizendo e aos exemplos do Melo. Em um ponto estamos de pleno acordo: o risco de a pílula da felicidade vir a se tornar uma arma de manipulação política existe e precisa ser combatido a qualquer custo. Seria um pesadelo de dimensões orwellianas. Aquele romance do Aldous Huxley, vocês devem ter lido, o *Admirável mundo novo*, explora exatamente essa veia. Tive até vontade de relê-lo depois do ensaio do Alex. A droga do contentamento, pelo que me recordo, chamava-se *soma*.

Compartilho também a preocupação de que algumas pessoas façam um mau uso da pílula. Vocês sabem que eu seria a última pessoa do mundo a defender ou a elogiar qualquer forma de dependência ou de vício, seja ele álcool, heroína, nicotina, misticismo, ou o que for. Eu não descarto a possibilidade de que, *em certos casos*, possa haver uma relação entre quadros depressivos e criatividade. No fundo, é um pouco o que eu dizia no início sobre a felicidade se definir por oposição à infelicidade. Se você não se sentir mal, ou seja, insatisfeito e infeliz com alguma coisa de errado em você ou ao seu redor, então você não terá motivação para agir e tentar melhorar as coisas. Caímos numa espécie de "conservadorismo cósmico" ou mundo panglossiano no qual, não importa o que seja, está certo, está tudo bem — melhor não podia ser.

Aliás, enquanto ouvia o que o Melo ia dizendo, fui me lembrando daquela velha canção da bossa nova, "É melhor ser alegre que ser triste, alegria é a melhor coisa que existe...". Até aí, a pílula resolve. Lá pelas tantas, porém, a letra segue e diz: "Mas pra fazer um samba com beleza é preciso um bocado de tristeza, senão não se faz um samba, não". O "bocado de tristeza" é a depressão a que o Melo se referia. É aí que a história da pílula começa a complicar...

MELO: Taí, quem diria? O Otto cantarolando bossa nova! Vê-se que as nossas conversas estão aos poucos tendo um efeito humanizador... [RISOS] Minha cabeça está fervilhando de exemplos, mas o padrão básico é sempre o mesmo. A canção que espanta o sofrimento ("cantando eu mando a tristeza embora") germina no solo do sofrer ("a tristeza é senhora") — a dor fertiliza. "Desde que o samba é samba é assim." Outro dia, abri por acaso o livro de uma jovem que resolveu contar a história de sua luta pessoal contra o câncer. A epígrafe que ela escolheu era um trecho de um velho poema hebraico:

> Quando estamos nos degraus mais baixos da escada do pesar, nós choramos.
> Quando chegamos à metade dela, nós emudecemos.
> Mas quando alcançamos o topo da escada do pesar, nós convertemos a tristeza em canto.

OTTO: Tudo perfeito, Melo. Mas o que me desagrada na postura de vocês é a tendência de tratar as pessoas como se elas fossem crianças precisando de uma pajem ou tutor moral. Por que não deixar cada um decidir por si o que é melhor para si? Peguem o caso do Weber, que o Melo levantou. Naquela época, está claro, não existiam os remédios que hoje temos à nossa disposição. Mas vamos supor que existissem. Vocês iam negar a ele o direito de escolher se queria ou não receber tratamento? Quem iria decidir em nome dele?

E se ele preferisse uma vida menos atormentada e mais feliz, mesmo que isso implicasse abrir mão da pretensão de criar uma obra que nós estamos discutindo até hoje? Vocês iriam *obrigar Weber a ser Weber*? O que seria mais "humano" (já que você usou esse termo para caçoar de mim)?

Mas se vocês estão dispostos a respeitar a liberdade de escolha e o desejo do jovem Weber, qualquer que ele seja, então por que negar isso ao cidadão comum? É *plausível* imaginar que o acesso a antidepressivos pudesse ter abortado as criações imortais de um Rilke, um Van Gogh ou um Fernando Pessoa. Ok. Mas e daí? Vocês julgariam, então, que seria moralmente defensável bloquear a chance de felicidade de milhões de homens comuns, gente que muitas vezes se arrasta pela vida sem a menor perspectiva de sair do buraco e respirar a brisa fresca de dias felizes, apenas para afastar o risco de perder um punhado de grandes gênios?

A pílula da felicidade do Alex traz algumas complicações, mas no fundo é a mesma coisa. O que ela faz é aumentar o nosso poder sobre nós mesmos; é ampliar o campo de escolhas diante de cada um. Assim como um equipamento de som, hoje ao alcance de qualquer mortal, nos permite ouvir *A flauta mágica* na hora em que nos apetece, no café-da-manhã ou no chuveiro, coisa que teria despertado furor e inveja na mais alta nobreza em Versalhes; da mesma forma, a existência e o livre acesso à pílula colocariam ao nosso alcance a opção de desfrutar de um bem-estar divino, pelo tempo que nos desse na telha, e mesmo que não houvesse razão objetiva para tanto.

Alguns benefícios que ela traria são previsíveis.

Tanto a incidência de doenças relacionadas ao estresse como o consumo de drogas ilícitas (e lícitas, exceto a própria) despencariam. As seitas e religiões organizadas dificilmente teriam como sobreviver no mercado de massas do consolo. Adeus, pastores hipócritas, púlpitos mercenários e currais eletrônicos. Mas o fundamental é que o cidadão seja dono do próprio nariz — o princípio lockiano da autopropriedade — e responsável pelos seus atos. Desde que não cause danos nem restrinja a liberdade dos demais, cada um é livre para administrar como bem entende o seu sistema nervoso. Nenhum prazer por si mesmo é um mal.

MELO: Quer dizer então, Otto, que você é a favor da liberação total das drogas, de deixar o livre-mercado funcionar? Você não teme que ocorram abusos horríveis? Que isso leve o pessoal mais jovem principalmente a meter os pés pelas mãos no consumo desenfreado de estimulantes, narcóticos, alucinógenos e sabe-se lá o quê mais?

OTTO: É uma questão delicada. Defendo, sim, a legalização do consumo e do comércio de drogas. Mas isso não quer dizer que eu minimize a gravidade do problema que temos pela frente. A mera repressão policial é um modo equivocado e contraproducente de lidar com ele. Enquanto houver demanda, a oferta se fará. Se a via legal estiver bloqueada, o tráfico ilegal florescerá. A experiência da "lei seca" americana nos anos 20 foi claríssima — nunca o arcabouço legal ficou tão desmoralizado e nunca o crime organizado foi tão beneficiado. Quanto maiores a severidade das leis e a repressão, maiores serão o preço de venda da substância e o lucro da operação. Com a descriminalização, os preços e os lucros cairiam e a atratividade do negócio idem. Os crimes ligados a drogas e a população carcerária diminuiriam. Os recursos bilionários empregados hoje na repressão poderiam ser usados em programas de prevenção e reabilitação. A "guerra às drogas" é mais um desses remédios desastrados que exacerbam o mal que buscam sanar. Como dizia um ex-presidente colombiano, "a única lei que os narcotraficantes não violam é a lei da oferta e procura".

O risco do abuso, não nego, é seríssimo. Mas o mesmo se aplica ao abuso do álcool e de outras drogas legais, como anfetaminas e barbitúricos. Vocês com certeza se lembram daquele nosso amigo de juventude, o Piza. Um talento, uma memória, uma vivacidade absolutamente fora do comum. Ele tinha tudo para se tornar um poeta como poucos em qualquer língua. E, no entanto, o que ele realizou? Acabou se afogando num alcoolismo diabólico que destruiu irreparavelmente o seu cérebro e a sua lucidez. Até hoje deploro, rumino lembranças e não me conformo com o que aconteceu. Mas o que se vai fazer? Cada um pilota o seu próprio naufrágio. É absurdo imaginar que a ameaça de abuso implica conferir ao Estado o papel de proibir as pessoas de correrem riscos ou de se colocarem em situação de perigo.

Há um verso de William Blake — vocês com certeza se lembram — que o Piza adorava citar em causa própria: "O caminho do excesso leva ao palácio da sabedoria". Pois é, deu no que deu. Mas há um outro provérbio de Blake, mais sábio que aquele, e que vem ao caso: "Você nunca saberá o que é suficiente se não se permitir saber o que é mais que suficiente". Algumas vezes na vida é preciso correr o risco de *ir longe demais*. Só que não para cultivar um tolo e desmiolado excesso dionisíaco, que afinal leva apenas ao palácio da sensaboria, mas para se descobrir até onde se pode e, sobretudo, até onde se deve ir.

MELO: Acho que você está sendo duro demais com o Piza, Otto, mas não vamos entrar nisso agora. O que você está dizendo, se eu o entendi corretamente, é que tanto no caso das drogas ilegais como no da pílula do Alex a melhor política seria *dar uma chance à liberdade*. O resultado vai depender de como as pessoas reagirem à nova situação. O que você há de convir, contudo, é que é muito difícil — para não dizer impossível — antecipar *todas* as conseqüências de uma aposta corajosa como a que você está propondo. Pode ser que a experiência da liberdade acabe revelando algo novo, algo que não temos condições de prever nem sequer de imaginar agora, e que nos faça mais tarde mudar de opinião.

ALEX: O xis da questão, então, está em saber como nós reagiríamos ao enorme poder que a pílula nos daria sobre nós mesmos. O que ocorreria após o surgimento dessa possibilidade de alcançar toda a felicidade do mundo sem qualquer esforço ou mérito próprios? Que o advento da droga iria provocar, de início, uma corrida desenfreada às farmácias, não é difícil prever. Mas e depois? Passado o furor da novidade, quando a poeira baixasse, que rumo as coisas tomariam? Qual seria a configuração da nova realidade, o *equilíbrio pós-pílula*?

Uma possibilidade é que, com o tempo, a pílula acabe se tornando não mais que uma *superdroga recreativa* — "a droga das drogas". Ela seria totalmente evitada por alguns; utilizada de forma intermitente, com abusos ocasionais, por muitos; e capaz de escravizar por completo a vida de uma minoria. Ela se tornaria basicamente um atalho inocente para o bem-estar subjetivo: mais poderosa sem dúvida, mas não muito distinta de outras táticas comuns no arsenal do prazer quimicamente estimulado, como bebidas e estimulantes, ou do prazer vicário, como o voyeurismo, o consumo de pornografia ou a masturbação. Em suma, *business as usual.* Nada que comprometesse de forma irreparável a convivência, os percalços e a experiência normal da vida.

Outra possibilidade, bem mais preocupante, é a de que o acesso indiscriminado à pílula leve a uma situação em que ela passa a dominar integralmente o dia-a-dia, não só de uma minoria propensa ao abuso, mas do grosso da população. Ela deflagra um surto de hedonismo desmiolado, invade os lares, ruas, escolas, escritórios e oficinas e se torna um novo *modo de vida.* A "religião da felicidade" tem um punhado de hereges esparsos, entregues a suas dores inúteis e angústias desnecessárias, mas eles em nada incomodam a rotina de euforia sonambular da maioria e não são sequer hostilizados. Quem se importa com eles? O equilíbrio da pílula tem a permanência dos astros distraídos e a robustez do granito.

MELO: Para que lado penderia a balança, Alex, se é que ela penderia para o mesmo lado em diferentes culturas, nenhum de nós sabe. O que me parece indiscutível, entretanto, é que nós perdemos a confiança que o iluminismo acalentava de que "quanto mais os homens se erguerem acima da pobreza e de uma vida de expedientes, mais a decência prevalecerá em sua conduta e a sobriedade nos seus sentimentos".

Marx e Engels, é bom lembrar, ainda acreditavam que, com o fim da luta de classes e o advento do comunismo, o homem deixaria para trás "os últimos vestígios de sua animalidade". E John Stuart Mill então? Há uma passagem dele que serve como uma luva ao que nós estamos discutindo.

Mill acreditava que as pessoas em geral sempre dariam "uma preferência marcante a um modo de existência que empregue as suas faculdades mais elevadas". "Poucas criaturas humanas", ele afirmou, "consentiriam ser transformadas em qualquer dos animais inferiores em troca da promessa do mais pleno acesso aos seus prazeres bestiais; nenhum ser humano inteligente consentiria tornar-se um tolo, nenhuma pessoa instruída, um ignorante, ninguém de sensibilidade e consciência, um ser egoísta e reles, e isso mesmo que eles fossem persuadidos de que o tolo, o beócio ou o infame estavam mais satisfeitos com a sua sorte do que eles estão com a deles." O talento espontâneo de alguns filósofos para recriar a humanidade à sua imagem e semelhança é um dos milagres da história da filosofia.

A minha grande preocupação é que nos falte maturidade ética, ou seja, moderação e disciplina no exercício da liberdade para lidar com o poder que a pílula da felicidade nos daria. Digo isso sem nenhuma arrogância, sem a menor pretensão de ser diferente, pois confesso que eu mesmo não sou capaz de dizer como reagiria diante de uma possibilidade dessas. Uma coisa é estarmos aqui, discutindo confortavelmente os efeitos possíveis de uma pílula hipotética. Outra, muito distinta, é saber o que de fato faríamos no calor da hora fria, quando o tempo fecha e o cárcere do pensar oprime. Uma coisa é filosofar (sem consumo de álcool!) entre amigos; outra é estar com a pílula no bolso. Duvido que algum de nós saiba o que faria.

"Toda emancipação do espírito é perniciosa se não vier acompanhada de uma maior capacidade de autocontrole." A sentença goethiana, penso eu, vai ao cerne da questão. O caminho da liberdade, Otto, pode revelar-se uma estratégia *liberticida.* Foi exatamente porque soube dar ouvido aos seus limites humanos que Ulisses, atado ao mastro, ouviu o canto das sereias, quase enlouqueceu de desejo, mas não se deixou levar e destruir. Quem quer que se examine de perto se dá conta de que o autoconhecimento e o autocontrole do ser humano são limitados. Restringir a liberdade é às vezes uma forma sábia de proteger a liberdade. Não há nada mais irracional do que ignorar os limites da racionalidade.

LEILA: Acompanho o seu raciocínio, Melo, e também acho que o Otto exagerou a mão na crítica ao Piza. A obra dele pode ser exígua, mas tem momentos brilhantes. Duvido, sem querer ofender ninguém, que algum de nós deixe coisa melhor. Mas eu sou mais radical do que vocês na questão da pílula. Nós não podemos subestimar a gravidade da ameaça que essa idéia representa. No fundo, ela é uma espécie de coroamento lógico de um projeto de civilização que está arrastando a espécie humana ao desastre. Vocês não percebem isso? São movimentos alternados de um mesmo e tenebroso enredo.

A mesma civilização tecnológica e de alta pressão competitiva que, por um lado, destrói as bases da felicidade instintiva no animal humano, vem, por outro, acenar com a promessa de um paraíso sobre a terra por meio do consumo desenfreado e de um simulacro de felicidade quimicamente determinada. O que ela retira com uma das mãos, ela promete restituir com a outra. Mas a troca não passa de um engodo, de uma operação perversa e fraudulenta. *Perversa* porque está arruinando o meio ambiente natural do qual depende a vida no planeta, e *fraudulenta* porque a felicidade que os homens buscam não é a alegria espúria de uma fuga cínica e niilista em estados alterados de consciência. Se é verdade que o mistério do universo está contido num simples grão de areia, essa pílula do Alex é o projeto iluminista-faustiano embutido numa cápsula medicinal. Ela é o remédio desesperado de uma civilização doentia.

O equívoco fica já patente no uso do termo "felicidade" para denotar o efeito da pílula. O que é isso?! Eu não sou menos pluralista que vocês. Posso conceber os mais diferentes modos de ser feliz. A felicidade do guerreiro não é a do monge; a do artista plástico não é a do banqueiro. "No amor", declara o romancista francês Stendhal, "eu tenho a sensação de que uma felicidade ilimitada, para além dos meus mais desvairados sonhos, está logo ali dobrando a esquina, aguardando apenas uma palavra ou um sorriso." A felicidade do amante libertino não é a do filósofo kantiano; a de Mobuto não é a do Dalai-Lama. As concepções da melhor vida são infinitas, ainda que nem todas sejam coerentes, socialmente toleráveis ou tenham o mesmo valor. Aceito tranqüilamente a idéia de que cada uma delas tem o seu apelo e a sua razão de ser.

O que não dá para engolir é a idéia de que a felicidade é alguma coisa que você compra, embrulha e leva para casa, como aspirinas ou picolés. A felicidade não é algo ligado ao *ter*, mas ao *fazer*. Ela não é um humor ou um estado de ânimo, por mais exaltados e duradouros que sejam, mas o resultado de uma vida bem conduzida, ou seja, das escolhas e valores que definem o nosso percurso. A felicidade, em suma, jamais será um *estado final* que se possa adquirir e dele tomar posse de uma vez por todas. Ela é uma *atividade* — algo que se cultiva e constrói, algo que, por alguns momentos, se conquista e se desfruta, que é fonte de contentamento, mas que está sempre a exigir de nós empenho e amor, sempre recomeçando outra vez. É impossível conceber a felicidade *humana* sem algum sentido de realização. Acreditar no contrário equivale a negar a nossa humanidade. É o supra-sumo da alienação.

Suponham, só para concluir, que um deus baixasse aqui na sala agora e nos obrigasse a optar, sem apelação, entre duas alternativas polares *para o resto da vida*. De um lado, a autoconsciência torturada e atormentada, digamos, de um são Bernardo — "nascer é uma desgraça, viver é doloroso, morrer é uma dificuldade". E, do outro, a alegria perpétua, inconsciente de sua causa e infalível da pílula 365 dias por ano. O que o Caliban ferido e esfomeado faria, a opção da fera trancafiada no porão das nossas mentes, não é difícil de imaginar. Quem nunca comeu geléia, quando come se lambuza. Mas o que eu gostaria de saber é: o que *vocês* escolheriam?

MELO: Cadê o açoite para começar o suplício?

OTTO: Se não existisse nenhuma outra opção, Leila, eu ficaria com o santo. Mas defenderia com unhas e dentes o direito dos que preferissem a pílula. E confesso, ainda, que não iria ficar nem um pingo mais deprimido ou atormentado do que o seu deus já me forçou a ser se muita gente optasse por ela.

ALEX: Unanimidade, Leila. Apesar de nossas divergências, neste ponto ao menos estamos todos de acordo. Sinto dizer, contudo, que o nosso tempo por hoje (sempre ele!) acabou. E como já é de praxe em nossas reuniões, aproveitarei a condição de coordenador para fazer um breve comentário e balanço final do que discutimos esta noite.

Conhecendo a Leila, eu esperava que ela reagisse à idéia da pílula. Mas a virulência e o tom emocional da reação me surpreenderam. Penso, não obstante, que as preocupações que ela coloca são legítimas. É curioso observar como a mesma ciência e a mesma tecnologia por meio das quais dominamos a natureza podem se tornar o tortuoso caminho de nossa — vergonhosa? — rendição final a ela. Mas eu certamente não chegaria ao ponto de tentar proibir ou propor a destruição da fórmula da pílula. Mesmo que isso fosse exeqüível — o que não me parece ser, mas também não vem ao caso —, eu ainda apoiaria a idéia de dar uma chance à liberdade, como propõe o Otto, mas desde que temperada pela cautela que o Melo, sempre um moderado conciliador, sugere.

Por outro lado, a pergunta final da Leila e as respostas que nós, unanimemente, demos a ela, permitem esclarecer um ponto crucial. A felicidade é só o que importa? Ficou bem claro que não. Se a felicidade for entendida na acepção de bem-estar subjetivo local (estar feliz), nenhum de nós estaria disposto a passar o resto da vida fechado no interior de uma bolha de alheamento extático, e isso mesmo que nós não tivéssemos ciência de estar sob o efeito ininterrupto da pílula e mesmo que o preço da única alternativa fosse uma vida de tormento e autoflagelo. Se a felicidade for entendida, dentro do conceito mais reflexivo, como a escolha e a realização de um percurso de vida satisfatório (ser feliz), a opção pela pílula da felicidade instantânea *como modo de vida* seria forte candidata ao status de *pior* vida ao nosso alcance. Nos termos das opções polares oferecidas pelo deus da Leila, o *ser feliz* nesse caso se opõe frontalmente ao *estar feliz*.

As conseqüências do avanço científico e neurotecnológico são de fato imprevisíveis. O poder que o progresso técnico confere é como um avião a jato — pode ser usado para aumentar a liberdade e o bem-estar ou para a realização de atentados terroristas e o bombardeio de civis indefesos. O avanço dos meios é patente, mas e os fins? Nenhum sistema socioeconômico, salto tecnológico, descoberta científica, dogma religioso ou pacote ideológico resolverá os nossos problemas por nós. A questão fundamental que temos pela frente é de ordem *ética*. A velha pergunta socrática — *como viver?* — nunca foi mais urgente.

O saldo do século XX, estamos de acordo, não foi nada animador. Mas a esquisitice do ser humano é tamanha que dela se pode esperar qualquer coisa, inclusive — por que não? — boas surpresas. Quem sabe a banalização da felicidade não leve os homens a se darem conta de que, nesta vida, *nada é tudo*, nem mesmo a felicidade? Foi graças ao sofrimento e à dor que o animal humano adquiriu a autoconsciência. É a consciência do sofrimento e do júbilo compartilhados que nos une e que nos vincula uns aos outros. A dor e o mistério de existir são prerrogativas das quais a humanidade jamais consentirá em abrir mão. A magia e o encanto da existência — estar vivo e viver entre os vivos — se renovam nessas fontes. O absurdo e a inquietude têm suas compensações.

EPÍLOGO

Existem livros que instruem, outros que defendem causas; existem livros que acusam e denunciam, outros que oferecem curas ou a salvação. Um diálogo filosófico não pede que se concorde com ele nem pretende apontar *o* caminho. Ele planta a semente da dúvida e, quando ela vinga, colhe o fruto da busca e da reflexão compartilhada. O conversar filosófico não é uma via expressa que liga um ponto a outro da cidade, mas uma alameda arborizada por onde se passeia prazerosamente, um tanto ao acaso, na companhia de idéias e bons amigos. Ao final do passeio, não há vitoriosos nem derrotados. Há o valioso reconhecimento do percurso trilhado, das questões sem resposta e de novos caminhos a percorrer — há a certeza inabalável de que é *preciso prosseguir.*

No verão de 2002, logo após o fim do carnaval, as reuniões entre os quatro ex-colegas de faculdade tiveram de ser suspensas. Um dos membros do grupo recebeu e aceitou um generoso convite do Centro de Estudos Brasileiros da Universidade de Oxford, na Grã-Bretanha, para desenvolver um projeto ligado à sua área de atuação. A interrupção dos encontros, no entanto, embora lamentada por todos, acabou trazendo um benefício inesperado. Foi durante esse período sabático, no ambiente austero e acolhedor de um tradicional *college* inglês, verdadeiro reduto da *vita contemplativa* na era da globalização, que o amigo ausente encontrou o tempo e a concentração necessários para, em meio aos seus demais afazeres e obrigações no Centro, revisar a transcrição dos diálogos, compor as notas e preparar para a publicação em livro o texto dos quatro encontros que chegaram a ser realizados. De certa forma, não seria exagero dizer, foi essa a maneira que ele descobriu de matar as saudades e reviver de algum modo os deliciosos momentos que passaram juntos.

Todo final é arbitrário. Na verdade, a idéia inicial do grupo não era a de suspender os encontros apenas porque um deles estaria se ausentando do país por algum tempo. O que eles combinaram de início, ao se despedirem, é que poderiam dar seqüência aos diálogos substituindo as reuniões de corpo presente, na casa de um deles, por colóquios eletrônicos pela internet. A receita parecia simples. Bastaria que, no dia e hora marcados, estivessem todos a postos e conectados a uma "sala de bate-papo exclusiva". Os encontros poderiam então prosseguir e se realizar normalmente.

Os arranjos foram feitos e as providências tomadas. O texto de abertura do que seria o quinto encontro do grupo — que tinha como tema as relações entre felicidade e a síndrome da ansiedade do tempo — chegou a ser preparado e previamente distribuído. Na prática, porém, nada funcionou direito. Os problemas técnicos, é verdade, atrapalharam bastante: as falas se atropelavam, os assuntos se entrecortavam, a rede caiu. Mas o mais grave, eles logo constataram, não era isso.

Havia alguma coisa fundamental no contato direto entre seres humanos — a expressão do olhar, a entonação da voz, a energia indefinível irradiada pela presença física de alguém — que se perdia irreparavelmente na interface com a tela eletrônica. A experiência resultou insípida e o diálogo, pífio — uma cacofonia de falas postiças, fragmentárias e desencontradas. Não houve segunda tentativa. A única coisa a fazer, concluíram, era aguardar o retorno do amigo ausente para reiniciar os encontros. A ansiedade do tempo teria de esperar até lá.

Discutir a felicidade significa refletir sobre o que é importante na vida. Significa ponderar os méritos relativos de diferentes caminhos e pôr em relevo a extensão do hiato que nos separa, individual e coletivamente, da melhor vida ao nosso alcance.

O que havia de errado e o que permanece vivo no projeto iluminista de conquista da felicidade por meio do progresso científico e material? Até que ponto as nossas escolhas têm conduzido à criação de condições adequadas para vidas mais livres e dignas de serem vividas? Que lições tirar das conquistas e desacertos das nações que lideram o processo civilizatório? A civilização entristece o animal humano? Qual deveria ser o peso do prazer na busca da felicidade e qual deveria ser o lugar da felicidade na melhor vida? O conhecer modifica o conhecido, o viver modifica o vivido. As questões da filosofia estão sempre voltando ao ponto de partida. Elas nunca se rendem, elas jamais se esgotam; só o que acaba é o nosso fôlego e a nossa capacidade de enfrentá-las.

A humanidade não se coloca apenas os problemas

que é capaz de resolver. A fome não garante a existência do alimento capaz de saciá-la. Encaradas de um ponto de vista sóbrio, sob a luz fria e clínica da razão, nossas aspirações de realização e transcendência estão fadadas ao desapontamento. O tamanho da distância entre a mais alta felicidade e a mais funda infelicidade de um homem é produto da nossa fantasia: "A vida que se vive é um desentendimento fluido, uma média alegre entre a grandeza que não há e a felicidade que não pode haver".

No fundo do coração humano, entretanto, algo surdo e obstinado resiste; algo indomado protesta a nos dizer que há alguma coisa indefinível pela qual existimos e aspiramos, algo por que vale a pena viver e sofrer. A imaginação selvagem que nos habita em segredo insinua esperanças e inspira sonhos que a razão desautoriza. Os dois lados do embate têm suas armas, têm o seu apelo, têm o seu direito. O grande equívoco é supor que um deles precise ou deva sair vitorioso. A qualidade da tensão é o essencial.

"Autores são atores, livros são teatros." O texto impresso é o palco de um possível encontro. O autor tem a palavra, mas é com o leitor que ela sonha. Embora pertençam a quem escreve, as palavras apenas se entregam a quem as lê. Os encontros deste livro são conversas em busca de interlocutores. O diálogo horizontal dos seus personagens terá se justificado se fecundar a curiosidade e prosseguir no diálogo perpendicular com o leitor. O texto semeia, a leitura insemina.

NOTAS

PRIMEIRO ENCONTRO: A BIFURCAÇÃO PÓS-ILUMINISTA [pp. 19-55]

Página

20 "*a tradição de todas as gerações*": Marx, *O 18 Brumário*, p. 17.

21 "*é difícil saber*": Keynes, "End of laissez-faire", p. 277.

21 *clima de opinião*: A expressão "clima de opinião" surgiu no século XVII e foi popularizada por Alfred Whitehead (ver Becker, *Heavenly city*, p. 5); é dele também a caracterização do século XVIII como "a era da razão, baseada na fé", em contraposição ao século XVII, que teria sido "a era da fé, baseada na razão" (Whitehead, *Science and the modern world*, p. 83). *The age of reason* [A era da razão] foi o título de um livro publicado pelo agitador político Thomas Paine em 1795.

22 *clara ruptura*: As fontes e variações do conceito de progresso na Antigüidade clássica são examinadas em Dodds, "The ancient concept of progress".

24 "[*Na vida em sociedade*] *são requeridos*": Priestley, *An essay*, pp. 4-5. Essa passagem é citada e comentada em: Bury, *Idea of progress*, pp. 221-2; Passmore, *Perfectibility of man*, pp. 209-10; Willey, *Eighteenth-century*, pp. 194-204; Becker, *Heavenly city*, pp. 144-5; e Gaukroger, *Francis Bacon*, p. 16. Embora Priestley tenha descoberto experimentalmente o oxigênio, foi Lavoisier quem interpretou corretamente o seu resultado empírico. A formulação original do princípio da utilidade é devida ao filósofo iluminista escocês Francis Hutcheson ("An inquiry", p. 90); mas foi por meio da obra de Priestley (e do filósofo criminalista Beccaria) que ele chegou aos pais do utilitarismo inglês, como reconhece o próprio Bentham (ver Himmelfarb, *The idea of poverty*, p. 35). Sobre as origens e o

desenvolvimento do utilitarismo clássico, ver Viner, "Bentham and J. S. Mill".

25 "*a bondade moral do homem*": Condorcet, *Sketch*, p. 193. Essa passagem é discutida em Berlin, "Historical inevitability", p. 136; Cranston, *Philosophers and pamphleteers*, p. 143; e, também, por Emma Rothschild (p. 203), que procura apresentar, em seu recente livro, uma interpretação alternativa à visão dominante, ou seja, a figura de um Condorcet menos otimista e menos entusiasmado com o progresso do que normalmente se imagina (ver *Economic sentiments*, especialmente o capítulo 7).

26 "*ao passo que o progresso das artes*": Condorcet, *Sketch*, pp. 186-8.

27 "*quanto mais os homens se erguerem*": Godwin, *Thoughts*, p. 73. Como veremos no diálogo do terceiro encontro (p. 99 e nota), essa crença remonta a Aristóteles.

27 "*a posteridade está para o filósofo*": A sentença de Diderot foi usada por Becker como epígrafe do seu magnífico ensaio sobre "os usos da posteridade" no pensamento filosófico do século XVIII (*The heavenly city*, pp. 119-68).

27 "*o problema de determinar*": Kant, *Fundamentação*, p. 128. "O conceito de felicidade", afirma Kant, "é tão indeterminado que, se bem que todo homem a deseje alcançar, ele nunca pode dizer ao certo e de acordo consigo mesmo o que é que propriamente deseja e quer. A causa disso é que todos os elementos que pertencem ao conceito de felicidade são na sua totalidade empíricos, quer dizer, têm de ser tirados da experiência, e que portanto para a idéia de felicidade é necessário um todo absoluto, um máximo de bem-estar, no meu estado presente e em todo o futuro. Ora, é impossível que um ser, mesmo o mais perspicaz e simultaneamente o mais poderoso, mas finito, possa fazer idéia exata daquilo que aqui quer propriamente. Se é riqueza que ele quer, quantos cuidados, quanta inveja e quanta cilada não pode ele chamar sobre si!" (p. 127).

28 "*Deverá ser o destino*": Kant, "Idea for a universal history", terceira e oitava proposições. Para um exame sistemático da relação entre ética e felicidade na filosofia kantiana, bem como para uma análise detalhada da passagem citada no texto (a terceira proposição), ver Guyer, *Kant on freedom, law, and happiness*, especialmente capítulo 11.

29 *Razão = virtude = felicidade*: A seqüência constituindo um "elo indissolúvel" aparece em Condorcet, *Sketch*, p. 201. A fórmula de

identidade, assim como usada no texto, foi analisada criticamente por Nietzsche em *Will to power* (§ 433, p. 237, e § 437, p. 241) no contexto de uma crítica aos pressupostos da filosofia socrática.

34 *princípio da falseabilidade de Popper*: Sobre a idéia de demarcação entre ciência e não-ciência e o princípio popperiano, ver, por exemplo, Popper, "Ciência: conjecturas e refutações".

34 "*a lógica é a ética do entendimento*": A sentença sintetiza a idéia, desenvolvida por Peirce em outros trabalhos, de que a lógica é "uma ciência normativa". Ela aparece em carta do filósofo à escritora americana Victoria Lady Welby (reproduzida em *Values in a universe of chance*, p. 415).

36 *O que se entende por "felicidade"?*: A análise dos três usos do termo *felicidade* baseia-se em Nozick, "Happiness", pp. 108-13. (Alex aproveita a oportunidade para agradecer a Bernard Williams pela recomendação que lhe fez deste texto.) A diferença entre a segunda (local) e a terceira (global) acepções de felicidade foi de certo modo demarcada e analisada por J. S. Mill em *Utilitarianism*: "Um estado de prazer exacerbado se prolonga apenas por alguns momentos ou, em alguns casos, e com certas interrupções, por horas ou dias, e representa o raio intenso de satisfação, não a chama constante e duradoura. Disso, os filósofos que ensinaram que a felicidade é o objetivo maior da vida estavam tão cientes quanto aqueles que zombam deles" (p. 18).

36 "*fiz de mim o que não soube*": Álvaro de Campos, "Tabacaria" (Fernando Pessoa, *Obra poética*, p. 365).

37 *no epitáfio que compôs para si mesmo, Locke*: Citado em Harris, *Reason and nature*, p. 53. Como esclarece Harris, "mediocrity", no contexto da época, tinha o sentido de moderado, temperado. O jovem Locke escreveu um ensaio sobre a felicidade (ver Cranston, *Locke*, pp. 123-4). Em seu diário pessoal, já maduro, o filósofo ponderou que o ser humano está no mundo "para buscar a felicidade de que este mundo é capaz, e que consiste em nada além de uma provisão abundante de toda sorte de coisas que podem, com a maior facilidade, prazer e variedade, preservá-lo por mais longo tempo nele" (citado em Bonar, *Philosophy and political economy*, p. 91). Suas últimas palavras ao morrer foram: "Eu vivi por um tempo suficiente e, graças a Deus, desfrutei de uma vida feliz; mas, no final das contas, toda esta vida não passa de vaidade [*all this life is nothing but vanity*]" (Cranston, *Locke*, p. 480). A julgar pelo teor do seu ensaio juvenil e do que ele afirma no diário,

talvez não seja descabido dizer que o "*mediocrity*" no epitáfio de Locke não esteja afinal tão distante assim do sentido atual do termo.

38 "*O benéfico e o prejudicial*": Hume, "The sceptic", p. 168.

39 "*não são as coisas em si mesmas*": Epicteto, *Encheiridion*, p. 487. Como dirá Montaigne: "Os mais graves males e os mais comuns são os que nos vêm da imaginação; e o ditado espanhol, 'defiendame Dios de mi', parece-me simpático" ("Da experiência", p. 491). O andarilho solitário Rousseau observa: "O hábito de me recolher a mim mesmo terminou me fazendo ficar imune aos males que me afligiam e até mesmo quase à memória deles; deste modo, eu aprendi a partir da minha própria experiência que a fonte da verdadeira felicidade reside dentro de nós e que não está em poder dos homens trazer desventura a alguém determinado a ser feliz" (*Reveries*, segunda caminhada, p. 36). Ver também: Schopenhauer, *World as will*, vol. 2, p. 158; e Nietzsche, *Humano, demasiado humano*, § 108, p. 85. Essa linha de raciocínio parece estar na base da filosofia de vida budista (ver, por exemplo, Dalai-Lama e Cutler, *Art of happiness*, especialmente capítulos 8-11).

39 "*Quereis só o que podeis*": Padre Antônio Vieira, *Sermões*, VII.

39 "*No princípio era a ação.*": Goethe, *Faust*, primeira parte, linha 1237, p. 153. É assim que o herói trágico de Goethe reescreve, vertendo para a sua "adorada língua alemã", a sentença, "No princípio era o Verbo", que abre o Evangelho Segundo São João no Novo Testamento.

40 "*o homem se faria a si próprio um deus*": Giordano Bruno, *Spaccio de la bestia trionfante* [A expulsão da besta triunfante], citado por Gaukroger, *Francis Bacon*, p. 76, e Farrington, *Francis Bacon*, p. 27. Segundo Farrington, Bruno teria sido, mais do que qualquer outro pensador do renascimento, o grande predecessor de Bacon na concepção da ciência como poder sobre o mundo e na visão de um paraíso reconquistado, após a expulsão do paraíso edênico, por meio da técnica e da sujeição da natureza aos desígnios humanos.

41 "*Especialistas sem espírito*": Goethe, citado por Weber (sem referência à fonte) no penúltimo parágrafo de *The protestant ethic* (p. 182).

41 "*O mundo que ele* [*Bacon*] *almejava*": Macaulay, "Lord Bacon", p. 405. Zeno foi o fundador da escola estóica no século III a. C.; segundo a sua doutrina, o único bem é a virtude e o único mal é a fraqueza moral: a pobreza, a dor e a perspectiva da morte não são capazes de arranhar a felicidade de um homem virtuoso. O pro-

grama da filosofia moral de Bacon — a "geórgica da mente" que deveria acompanhar a reforma das ciências naturais em bases experimentais e pragmáticas — está delineado em seu *Advancement of learning*, livro 2, pp. 146-70. Alguns dos mal-entendidos da filosofia baconiana são listados por Gaukroger em *Francis Bacon*, p. 3. O Bacon de Macaulay guarda algum parentesco com o ideal de autodisciplina recomendado pelo Dalai-Lama (ver *Art of happiness*, p. 26).

41 "*As bestas*": Boyle, citado por Burtt, *Metaphysical foundations*, p. 194.

41 "*o sucesso contínuo na obtenção*": Hobbes, *Leviathan*, p. 63. O contraste entre a "felicidade do tumulto" e a "felicidade da quietude" foi proposto por Pascal em *Pensées*, § 136, pp. 67-71. Hobbes reconhece a força do *summum malum* que é a morte violenta, mas descarta sumariamente o bem supremo de certas correntes da filosofia clássica, entre as quais estóicos e epicuristas, definido como o estado de *ataraxia* ou imperturbável tranqüilidade em que a mente apaziguada e contemplativa do sábio repousa (*Leviathan*, p. 63).

42 "*A grande empresa do governo*": Bentham, *Principles of morals*, p. 74.

44 *alertou o seu ex-aluno*: O episódio ocorreu em 1919 e está relatado em Alec Nove, "The omnipotent planners", p. 1014. Sobre as relações entre Weber e o seu aluno Lukács, ver Marianne Weber, *Weber*, pp. 465-6.

46 "*conheciam o preço de tudo*": Adaptado de Wilde, *Lady Windermere's fan* e citado por Arrow, "I know a hawk from a handsaw", p. 48.

47 "*Ao mesmo tempo que a humanidade*": Marx, "Discurso no aniversário do *People's Paper*", pp. 298-9. O *People's Paper* era um jornal de agitação sindical londrino do qual Marx era eventual colaborador. O discurso, pronunciado em inglês, aconteceu em abril de 1856. O trecho citado serviu de epígrafe da tese (depois livro) de Schmidt.

48 "*na sua forma mais completa*": Marcuse, "On hedonism", p. 199. Como bem apontou Gérard Lebrun, "Marcuse nunca foi mais que um apolíneo encolerizado" ("Os dois Marcuse", p. 138). A posição da Escola de Frankfurt em relação ao legado iluminista foi colocada de forma clara por Habermas: "Os pensadores do iluminismo ainda possuíam a expectativa extravagante de que as artes e as ciências promoveriam não apenas o controle das forças naturais, mas levariam adiante a compreensão do mundo e do indivíduo, promoveriam o progresso moral, a justiça das instituições e,

até mesmo, a felicidade dos seres humanos. O século XX abalou este otimismo [...] Devemos nós tentar nos manter aferrados às intenções do iluminismo, por frágeis que possam parecer, ou declarar todo o projeto da modernidade uma causa perdida?" ("Modernity versus postmodernity", p. 57). A resposta, é evidente, recai sobre a primeira opção. De fato, o próprio caráter radicalmente excludente da disjuntiva oferecida — como se fosse uma questão de tudo ou nada, pegar ou largar, aferrar-se ao projeto ou declará-lo "causa perdida" — é já indicativa do caminho escolhido. Ver também o "acerto de contas" com o marxismo clássico em Habermas, *Toward a rational society*, p. 119.

49 "*o padrão médio de homem*": Trostky, *Literatura e revolução*, p. 216.

49 "*Todo enaltecimento da civilização*": Mill, *Nature*, pp. 15 e 32.

50 "*É melhor ser um ser humano insatisfeito*": Mill, *Utilitarianism*, p. 14. A escolha dos termos da comparação não foi gratuita: no livro 2 da *República*, Sócrates descreve o modo de vida na "cidade dos porcos" (372d, p. 59).

50 "*Não há nada na constituição*": Mill, *Works*, vol. 10, p. 15.

52 "*o poder da educação é quase ilimitado*": Mill, *Utility of religion*, p. 53.

52 *era celibatário e provavelmente morreu virgem*: Como observa Peter Gay, com base em cartas e testemunhos do próprio casal, "seu casamento [de Mill] com Harriet Taylor, construído sobre uma base de invariável admiração mútua, de um companheirismo intelectual exaustivo e da adoração abjeta que o marido sentia pelos talentos da mulher, era muito provavelmente uma coabitação casta de dois companheiros inválidos" (*Paixão terna*, p. 110). Sobre o *affair* Mill-Harriet ver também Ryan, *J. S. Mill*, p. 49. Nos seus *Princípios de economia política*, Mill chegou a prever que o interesse pelo sexo declinaria com a emancipação feminina: "É pela dedicação de metade da espécie humana [mulheres] àquela função exclusiva [procriação] [...] que o instinto animal em questão foi elevado à dominância desproporcional que ele até aqui exerceu na vida humana" (livro 5, capítulo 7, § 3, pp. 125-6). Curiosamente, Freud também previa o declínio do interesse humano por sexo como fonte de felicidade no desenrolar do processo civilizatório (ver *Mal-estar na civilização*, p. 64). Como observou sem rodeios Baudelaire: "Só o bruto trepa bem: a trepada é o lirismo do povo" (*Meu coração a nu*, p. 545).

52 *medo de transpirar*: Conforme relata o pastor Wasianski, que assistiu o filósofo na velhice: "Kant jamais transpirava, fosse dia ou

noite. [...] No auge do verão ele usava roupas leves e invariavelmente vestia meias de seda; ainda assim, como isso nem sempre garantia evitar a transpiração enquanto fazia algum exercício, ele possuía um remédio peculiar de reserva. Refugiava-se em algum lugar na sombra e lá permanecia imóvel, com ar de uma pessoa escutando ou em suspense, até que a aridez habitual fosse restaurada. Até mesmo na mais ardente noite de verão, se o menor traço de suor umedecesse o seu pijama, ele se referia a isso com ênfase, como se fosse um acidente que o tivesse perfeitamente chocado" (*The last days of Kant*, pp. 118-9). O confronto entre a perspectiva do filósofo (amigo da sabedoria e da virtude) e a do homem comum (amigo dos prazeres mundanos) foi magistralmente elaborado por Diderot no diálogo *O sobrinho de Rameau.*

55 "*o doce sentimento da existência*": Rousseau, "Letter to Voltaire", p. 235.

SEGUNDO ENCONTRO: INDICADORES OBJETIVOS E SUBJETIVOS DE BEM-ESTAR
[pp. 59-95]

60 *O que os materialistas libertinos do século XVIII intuíam*: Ver La Mettrie, *Machine man*, pp. 35-7. O papel do orgasmo feminino na fecundação foi examinado pelo biólogo Randy Thornhill da Universidade do Novo México nos Estados Unidos. Desde que ocorra no intervalo entre um e 45 minutos depois da ejaculação masculina, o orgasmo da mulher tende a aumentar significativamente a retenção de espermas e a probabilidade de fecundação. Daí a curiosa freqüência, suspeitam os pesquisadores, com que as mulheres engravidam ao cometerem atos, ainda que esporádicos, de adultério ("Doing what comes naturally", *Economist*, 23/12/1996, p. 103).

60 "*o prazer aperfeiçoa a atividade*": Aristóteles, *Ética*, 1176a, p. 260.

62 "*não há mendigo que eu não inveje*": Álvaro de Campos, "Tabacaria" (Fernando Pessoa, *Obra poética*, p. 365).

63 "*Há várias décadas*": Kahneman, Diener e Schwarz, "Preface", p. X. Avaliando o peso relativo de fatores externos (eventos e circunstâncias) e internos (temperamento e cognição) na determinação do bem-estar subjetivo, Diener e sua equipe concluem que a mais importante contribuição dos últimos trinta anos de pesquisa "é o entendimento de que os fatores externos são com freqüência responsáveis por uma parte apenas diminuta da variação

de bem-estar subjetivo" ("Subjective well-being", p. 286). Conclusão análoga foi formulada por Erik Allardt, pesquisador da Universidade de Helsinki, na Finlândia, ao avaliar os resultados das extensivas pesquisas sobre bem-estar conduzidas nos países escandinavos nas últimas décadas: "Na maioria dos estudos [...] a relação entre as condições objetivas e as percepções ou atitudes subjetivas parece ser surpreendentemente fraca" ("Having, loving, being", p. 92).

64 *Décadas de forte crescimento*: Os resultados empíricos sobre a relação entre crescimento econômico, renda pessoal e felicidade relatada são apresentados e analisados em: Frey e Stutzer, *Happiness and economics*, pp. 9, 73-7; Oswald, "Happiness and economic performance", pp. 1817-23; Diener et al., "Subjective well-being", p. 287; Argyle, "Causes and correlates of happiness", pp. 356-8; Inglehart, "The diminishing utility of economic growth", pp. 516-21; Graham e Pettinato, *Happiness and hardship*, pp. 3, 16-24; e Wright, "Will globalization make you happy?". Ver também o estudo pioneiro e ainda atual de Tibor Scitovski, *Joyless economy*, capítulo 7 ("Income and happiness").

66 *Os desempregados*: Ver: Oswald, "Happiness and economic performance", pp. 1825-8; e Argyle, "Causes and correlates of happiness", p. 353. As evidências sobre suicídio e parassuicídio são a base da conclusão de Oswald de que "o desemprego parece ser a principal fonte econômica de infelicidade" (p. 1828).

66 *Uma pesquisa de opinião*: A pesquisa foi encomendada pela revista britânica *The Economist* e realizada pelo Instituto Angus Reid; a tabela com os resultados foi publicada no artigo "Granny knew best, maybe", 9/10/1999, p. 52.

67 *Um estudo clássico*: Brickman, Coates e Janoff-Bulman, "Lottery winners and accident victims: is happiness relative?". Os resultados desse artigo são discutidos por: Diener et al., "Subjective well-being", p. 285; Loewenstein e Schkade, "Wouldn't it be nice?", pp. 89-90; Rabin, "Psychology and economics", p. 41; Frey e Stutzer, *Happiness and economics*, pp. 6 e 23; Kahneman, "Objective happiness", p. 13; e Dalai-Lama e Cutler, *Art of happiness*, p. 21.

67 *Existe um forte vínculo*: Diener, "Subjective well-being", p. 287.

68 pursuit of happiness: A expressão *pursuit of happiness* (busca da felicidade) foi utilizada por Thomas Jefferson na Declaração de Independência norte-americana de 1776. Ela define o que seria um direito inalienável do cidadão. Como observa Albert Hirschman,

"[Jefferson] tinha em mente a felicidade pública, ou seja, um desempenho da economia e da sociedade que seja satisfatório para os seus membros. Da mesma forma, na Itália e na França, no século XVIII, *felicitá pubblica* e *bonheur public* eram conceitos usuais, denotando o bem-estar da comunidade. Para dar um único exemplo, Turgot usou a expressão 'la science du bonheur public' (a ciência da felicidade pública) para se referir ao ramo do saber que estava se tornando conhecido como economia política" (*Shifting involvements*, p. 122).

69 *"e todas as transações monetárias"*: Fisher, *Theory of interest*, pp. 4-5. Fisher compara a mente humana a um aparelho de rádio: "O sistema nervoso humano é, como um rádio, um grande instrumento receptor. Nossos cérebros servem para transformar os eventos externos que nos acontecem, e que estimulam o sistema nervoso, no fluxo da vida psíquica" (p. 4). A origem da expressão "renda psíquica" é atribuída por Schumpeter ao economista Frank Fetter (ver *History of economic analysis*, pp. 874 e 898n).

70 *não se deve esperar mais precisão*: Aristóteles, ao introduzir a sua ética, alerta: "A marca de uma pessoa educada é buscar tanta precisão em cada classe de coisas quanto a natureza do assunto permite" (*Ética*, 1094b, p. 3).

70 *"Pergunte-se a si próprio"*: Mill, *Autobiography*, p. 118. Sobre o "paradoxo do hedonismo" e a estratégia de não mirar diretamente a felicidade como a melhor maneira de alcançá-la, ver: Parfit, *Reasons and persons*, p. 6; Singer, *How are we to live?*, p. 253; e Pinker, *Como a mente funciona*, p. 414.

70 *"por que é que, para ser feliz"*: Fernando Pessoa, *Obra poética*, p. 560.

72 *Há um trabalho magnífico*: Schwarz e Strack, "Reports of subjective well-being: judgmental processes and their methodological implications". O exemplo dado no texto é uma variação do que aparece no artigo (p. 63).

73 testes de validação: Os testes incluem medidas de confiabilidade, validade e consistência. Um bom resumo da literatura em defesa do uso dessa metodologia está em: Frey e Stutzer, *Happiness and economics*, pp. 30-6; Frank, "The frame of reference as a public good", p. 1833; e Diener, Oishi e Suh, "National differences in subjective well-being", pp. 434-9.

74 *"hedonômetro"*: Edgeworth, *Mathematical psychics*, p. 8. Ao sustentar a proposta, Edgeworth observou: "*Átomos de prazer* não são fáceis de distinguir e discernir; mais contínuos do que areia e mais dis-

cretos do que o líquido, é como se fossem núcleos de algo que quase foge à percepção, imersos no ambiente circundante da semiconsciência [...] pelo menos a concepção do Homem como uma máquina de prazer [*pleasure machine*] poderá justificar e facilitar o emprego de termos da mecânica e raciocínio matemático na ciência social" (p. 15).

74 "*Chegará o tempo*": Sêneca, citado por Dodds, "Ancient concept of progress", p. 23.

75 "*A visão científica da vida*": Knight, "The limitations of scientific method in economics", p. 1.

76 *A inscrição do templo de Apolo*: A autoria da inscrição "conheça-se a si mesmo" é atribuída aos "sete sábios" gregos: um grupo de legisladores, estadistas e pensadores de toda a Grécia que viveu no período de 620 a 550 a. C. e que era admirado pelo seu bom senso e sabedoria prática, principalmente na criação de leis (Sólon de Atenas, Tales de Mileto, Pítaco de Metilene, Cleobolo de Lindos, Chilon de Esparta, Míson de Chenae e Bias de Priene). É o próprio Sócrates quem, segundo Platão, afirma: "[...] cada um [dos sete sábios] é autor de dizeres breves e memoráveis. E não apenas isso, mas eles se juntaram para fazer uma oferenda a Apolo, no seu templo em Delfos, dos frutos de sua sabedoria, e lá inscreveram aquelas máximas familiares, 'Conheça-se a si mesmo' e 'Nada em excesso' [...] tal era a forma de expressão da sabedoria dos tempos antigos" (Platão, *Protágoras*, 343b-c, p. 36).

77 "*Em comparação com 1957*": Citado por Argyle, "Causes and correlates of happiness", p. 357; e Pinker, *Como a mente funciona*, p. 413.

78 *A explicação não é minha*: Ver Frank, "The frame of reference as a public good", pp. 1832-47. Entretanto, como será apresentado a seguir, os elementos básicos da hipótese da renda relativa e da noção de bens posicionais já estavam contidos na obra de Adam Smith. Em *Joyless economy* (primeira parte), Scitovski desenvolve uma explicação complementar à hipótese da renda relativa (p. 135), a partir do contraste entre a demanda humana por "segurança" e "conforto", de um lado, e por "estímulo" e "novidade", de outro. A afluência material, ele sugere, é capaz de atender às demandas associadas ao primeiro par de necessidades, mas ao custo de frustrar e reduzir progressivamente as chances de satisfazer o segundo. A demanda por — e a conseqüente presença maciça de — cenas de sexo e violência no cinema e na mídia em geral seria sintoma desse fenômeno.

78 *Primeiro, o óbvio*: Ver Diener et al., "Subjective well-being", p. 285.

78 bens posicionais: O termo, embora não o conceito, foi introduzido por Hirsch em *Social limits to growth.*

78 "*Para a maior parte das pessoas ricas*": Adam Smith, *Wealth of nations*, p. 190.

79 "*a exibir nossas riquezas*": Adam Smith, *Theory of moral sentiments*, p. 50.

79 *preceito do Buda*: Adaptado de Nietzsche, *Humano, demasiado humano*, § 607, p. 290.

79 *Com nove de cada dez mulheres*: Ver Casanova, *Memoirs, passim.* "Quando surgiu a propriedade e o ouro foi descoberto", observa o poeta latino Lucrécio, "a força e a beleza perderam muito do seu brilho. Pois não importa quão belos ou fortes sejam os homens, eles em geral seguem atrás do mais rico" (*De rerum natura*, livro 5, linhas 1114-7, p. 223).

79 "*Só me interessam as posses*": Petrônio, *Satyricon*, p. 68. No diálogo satírico *Saturnália*, o poeta Luciano (século II d. C.) alerta os pobres de sua época por meio do rei Cronus: "Mas de um modo geral vocês que são pobres precisam se dar conta de que vocês têm sido enganados e têm uma visão falsa dos ricos. Vocês pensam que eles são inteiramente felizes e que só eles vivem uma existência prazerosa, uma vez que podem desfrutar de jantares finos, embriagar-se de vinhos suaves, associar-se a belos jovens e mulheres e vestir roupas macias. Vocês não têm a menor idéia do que seja a verdade [...] De fato, a maior parte das coisas, sem dúvida, vocês [pobres] descobrirão que eles [ricos] adquirem por causa de vocês, não porque eles próprios precisem, mas para que vocês admirem" (pp. 125 e 129). Na mesma linha de raciocínio, o economista Partha Dasgupta, da Universidade de Cambridge, recorda sobre o seu pai: "Ele sentia que se os pobres da Índia parassem de admirar os ricos e passassem a zombar de seu consumo conspícuo, os ricos ficariam embaraçados e fariam algo mais digno com a sua riqueza pessoal" (*Inquiry into well-being and destitution*, p. vi).

80 "*por um lugar de honra*": Malebranche, *The search after truth*, p. 290. David Hume, assim como seu amigo Adam Smith, destaca a força do poder e da riqueza na competição pelo afeto alheio: "Nada possui maior tendência a nos fazer estimar alguma pessoa do que o seu poder e riqueza; ou a desprezá-la, do que a sua pobreza e baixa condição" (*Treatise*, p. 357).

81 corrida armamentista do consumo: A partir da analogia sugerida por Frank, "The frame of reference as a public good", p. 1841.

82 *agenda ético-política pós-moderna*: Além do trabalho de Fogel referido no texto (especialmente capítulo 5), ver também: Inglehart, "The diminishing utility of economic growth"; e Singer, *How are we to live?*.

83 *vêm se sucedendo com regularidade*: Ver, por exemplo, a defesa do "estado estacionário" feita por J. S. Mill em seus *Princípios* (livro 4, cap. 6); o artigo de Keynes discutido no terceiro encontro (pp. 131-2); Mishan, *The costs of economic growth*; o volume especial do periódico *Daedalus* (1973) em torno da polêmica crescimento *versus* não-crescimento no início dos anos 70; e a crônica (prematura) da "queda" do crescimento econômico como valor social em Arndt, *Rise and fall of economic growth*. Os movimentos alternados de consumismo e anticonsumismo na cultura americana, durante o século XX, foram descritos de forma detalhada por Gary Cross em *An all-consuming century*.

83 "*Em conseqüência da cobiça*": Horácio, *Satires*, livro 1.i, pp. 42-3. Em outra passagem, o poeta indaga: "Se nenhuma quantidade de água conseguisse matar sua sede, você consultaria um médico. O que dizer do fato de que quanto mais você possui, mais você quer? Não seria o caso de buscar aconselhamento?" (*Epistles*, livro 2.ii, p. 187).

83 "*Por que não deveríamos*": Keynes, "Clissold", p. 354.

83 "*o tumulto inconsciente*": Fernando Pessoa, *Obra poética*, p. 703.

84 *Nos países ricos*: Todos os dados sobre renda per capita e emissão de poluentes no mundo apresentados por Leila têm como fonte o artigo de Martin Wolf, "The view from the limousine". A comparação entre o índice Gini de distribuição de renda *dentro* dos diferentes países e *entre* os países do mundo foi feita por Fogel em *Fourth great awakening*, p. 225.

85 "*a pobreza resulta*": Platão, *Leis* (livro 5, 736), citado por Bonar, *Philosophy and political economy*, p. 14.

86 "*o mero existir é um prazer*": Ao comentar sobre a qualidade de vida nos países tropicais menos desenvolvidos, Mill observou: "A vida humana nessas nações pode ser mantida com tão pouco que os pobres raramente sofrem de ansiedade, e nos climas onde o mero existir é um prazer, o luxo que eles preferem é o do repouso" (*Works*, vol. 2, p. 102).

88 "*naquilo que constitui a verdadeira felicidade*": Adam Smith, *Theory of moral sentiments*, p. 185. Para Smith, observa James Bonar, "a diferença de felicidade entre os homens é muito menor do que aque-

la de renda e fortuna [...] Os homens lutam pela riqueza em grande medida por uma visão ilusória dos prazeres que obterão com ela" (*Philosophy and political economy*, pp. 170-2). Como resume Donald Winch, "o ceticismo de Smith com relação às satisfações materiais é uma característica central da *Teoria dos sentimentos morais* e não está de modo algum ausente na *Riqueza das nações*. A partir da satisfação de certas 'necessidades e conveniências do corpo', Smith sustentava que a busca de benefícios materiais era em larga medida enganosa para os indivíduos envolvidos [...] Mas Smith reconhecia que essa ilusão, embora oriunda de uma corrupção dos nossos sentimentos morais, era importante para a sociedade porque ela 'despertava e mantinha em constante movimento a diligência humana'" (*Adam Smith's politics*, p. 91). Como observa Viner, para Smith "a busca da riqueza e do poder é um engano por parte de quem a persegue; o sucesso não traz real felicidade" (*Role of providence*, p. 102). A posição de Smith acerca da felicidade guarda forte semelhança com a defendida por seu companheiro no iluminismo escocês, Hugh Blair, no sermão "On the proper estimate of human life" (especialmente p. 192). Para uma perspectiva contemporânea da felicidade, inspirada basicamente na filosofia moral de Adam Smith, ver o ensaio de Griswold Jr., "Happiness, tranquility, and philosophy".

89 "*Adam Smith seria a última pessoa*": Marshall, *Industry and trade*, p. 731.

91 *duas situações hipotéticas*: Adaptado de um exemplo análogo oferecido em Elster e Roemer, "Introduction", pp. 7-8.

91 "*a posse perpétua da condição*": Swift, *A tale of a tube*, p. 110. No estilo peculiar e inigualável do autor de *Gulliver*: "This is the sublime and refined point of felicity, called, a perpetual possession of being well deceived; the serene peaceful state of being a fool among knaves". Entre os adeptos da tese de que a felicidade humana assenta em bases não-racionais está o ensaísta francês setecentista Bernard de Fontenelle: "[...] se existe alguma forma de felicidade pela qual a razão é responsável, ela é como aquele tipo de 'boa' saúde que depende inteiramente de algum remédio — nunca será robusta ou estável" (*Nouveaux dialogues des morts*, "Mary Stuart et Rizzio", p. 155). Ver também Nietzsche, *Humano, demasiado humano*, § 251, p. 173, e Daybreak, § 429, p. 184.

92 "*Quando os deuses querem nos punir*": Oscar Wilde, *An ideal husband*, citado em Ainslie, *Picoeconomics*, p. xi.

93 “*Existem poucas coisas*”: La Rochefoucauld, *Maxims*, § 439, p. 93.

93 *A esperança média de vida ao nascer*: Os dados deste parágrafo têm como fonte o trabalho de Angus Maddison, *World economy*.

94 “*a felicidade existe* somente *na imaginação*”: Mozart, *Man and artist*, p. 80. A afirmação consta de uma carta do compositor (29/11/1777) na qual ele busca se justificar perante o pai, que o repreendera por não possuir um emprego regular e por seus gastos excessivos.

TERCEIRO ENCONTRO: A DOMESTICAÇÃO DO ANIMAL HUMANO [pp. 99-140]

99 “*A felicidade entre os homens*”: Heródoto, *Persian wars*, livro 1, p. 5. A presença recorrente do par *hybris* e *nemesis* em diversas dimensões da cultura grega (religião, poesia, filosofia e historiografia) foi examinada pelo psicólogo e historiador de idéias italiano Luigi Zoja em *Growth and guilt*.

102 *permuta civilizatória*: a noção de *permuta* nesse contexto é aquela denotada pelo termo inglês *trade-off*, ou seja, a idéia de que a obtenção de alguma coisa valiosa numa dada dimensão implica o sacrifício de outra coisa, também valiosa, em outra dimensão; a noção de *trade-off*, que não possui um equivalente exato em português, significa que a relação entre o valor pretendido e o sacrificado é direta e inescapável.

103 “*Eu lhe garanto, Senhor*”: Shakespeare, *The tempest*, ato 4, cena 1, linhas 54-6, p. 96. A promessa de Ferdinand de não se aproximar fisicamente de Miranda contrasta vivamente com a atitude de Caliban que, como transparece no início da peça, teria traído a confiança de Próspero ao tentar supostamente “violentar” a jovem enquanto dormiam juntos na mesma gruta. Segundo Frank Kermode, editor da peça na insuperável coleção Arden, “o nome Caliban é usualmente tomado como um desenvolvimento de alguma forma da palavra ‘Carib’, significando um habitante selvagem do Novo Mundo; ‘canibal’ deriva disso, e ‘Caliban’ é possivelmente um anagrama daquela palavra. Mas embora ligado desse modo ao índio selvagem, ele também está associado ao homem nativo e selvagem da Europa, ou seja, àquele que era anteriormente a imagem mais familiar de uma humanidade sem o ordenamento da civilidade” (pp. xxxviii-xxxix). O selvagem vil, turbulento e depravado de Shakespeare em *The tempest* pode ser visto como o aves-

so moral do selvagem íntegro e feliz de Montaigne no ensaio "Dos canibais" (ver p. 202 abaixo). Além de sexo e bebidas, Caliban é apaixonado por música.

103 "*O que é ganho do lado da inteligência*": La Mettrie, *Machine man*, p. 10. No mundo grego, assinala Zoja, "a pessoa mais persuadida de que a inteligência minava a capacidade de sentimento do coração foi talvez Eurípides" (*Growth and guilt*, p. 120).

104 "*Querem saber a história abreviada*": Diderot, *Supplément au Voyage du Bougainville*, citado por Willey, *Eighteenth-century background*, p. 14. Nesta obra, Diderot se utiliza do relato de um explorador francês, Louis Antoine de Bougainville, que havia publicado pouco antes as suas observações de viagem sobre os habitantes nativos do Taiti, para qualificar as idealizações de seu amigo Rousseau sobre o *bon sauvage*. Em "Histoire des deux indes", Diderot aborda a conduta dos europeus colonizadores nos trópicos e retrata de forma memorável a reviravolta na "guerra civil" entre o homem artificial e o homem natural: "Além do Equador um homem não é inglês, holandês, francês, espanhol ou português. Ele se apega somente àqueles princípios e preconceitos de seu país de origem que justificam ou servem de desculpa à sua conduta. Ele rasteja quando está fraco; ele é violento quando forte; ele tem pressa para adquirir, pressa para desfrutar, e é capaz de todo crime que o conduza mais rapidamente a seus objetivos. Ele é um tigre doméstico retornando à selva; a sede de sangue toma conta dele outra vez. É assim que todos os europeus, cada um deles indistintamente, têm se mostrado nos países do Novo Mundo. Um delírio coletivo toma conta deles — a sede de ouro" (p. 178).

104 *prece rousseauniana*: Rousseau, *Discourse*, p. 26. Sobre as origens e a ascensão do movimento romântico na filosofia e nas artes e sobre o papel de Rousseau no movimento, ver Berlin, *Roots of romanticism*, especialmente capítulos 2 e 3.

105 "*Nossa ascendência*": Darwin, *Early writings*, p. 29. Ou como ele havia escrito no mesmo caderno de trabalho: "Quem compreender o macaco fará mais pela metafísica do que Locke" (p. 21).

106 "*o animal selvagem*": Nietzsche, *Humano, demasiado humano*, § 614, p. 294. É difícil não detectar aqui um eco do "educador" do jovem Nietzsche, Arthur Schopenhauer: "O homem no fundo é um animal selvagem e terrível" ("Parerga", § 114, p. 101).

106 Natura non facit saltum: "A natureza não dá saltos". O princípio da continuidade apareceu originalmente nos tratados biológicos

de Aristóteles e foi retomado por Darwin, que se refere a ele nada menos que quatro vezes, em latim, em sua obra principal (*Origin*, pp. 194, 206, 460 e 471).

108 "*fizeram com que todos aqueles instintos*": Nietzsche, *Genealogia*, segunda dissertação, § 16, p. 73.

108 "*Esse homem que*": Ibid., p. 73. Ver também: *Humano, demasiado humano*, § 2: "Mas tudo o que é essencial na evolução humana se realizou em tempos primitivos, antes desses 4 mil anos que conhecemos aproximadamente; nestes o homem já não deve ter se alterado muito" (p. 16); *Daybreak*, § 429: "Não nos enganemos: os bárbaros de todas as épocas eram mais felizes" (p. 184); e *Gaia ciência*, § 357: "Isso que denominamos consciência constitui apenas um estado do nosso mundo espiritual e psíquico (talvez um estado doentio) e de modo algum ele próprio" (p. 254).

109 "*Se a civilização impõe sacrifícios*": Freud, *Mal-estar na civilização*, p. 74. A atitude de Freud em relação ao seu grande predecessor é intrigante. Foi depois de ouvir Eduard Hitschmann ler algumas passagens da *Genealogia*, numa reunião da Sociedade Psicanalítica de Viena, em 1908, que Freud declarou a respeito de Nietzsche: "Ele possuía um conhecimento mais penetrante de si mesmo do que qualquer outro homem que tenha vivido ou que provavelmente viverá" (Minutas da Sociedade Psicanalítica de Viena (1908) citadas por Jones, *Life and work*, vol. 2, p. 385). Mas são no mínimo estranhas as razões-desculpas oferecidas por Freud, em diferentes momentos de sua vida, para o fato de (supostamente) jamais ter lido e estudado as obras reunidas de Nietzsche que ele adquiriu ainda jovem: primeiro (1900) foi a "preguiça"; depois (1908) a alegação de que não estava disposto a ser desviado de seu "trabalho sério" por "um excesso de interesse" (!); e, por fim (1931), "deixei de lado o estudo de Nietzsche, embora — ou melhor, porque — estivesse claro que eu encontraria nele percepções muito semelhantes às psicanalíticas" (Gay, *Freud*, p. 58). O paradoxo é evidente: se Freud jamais se deu ao trabalho de ler e estudar Nietzsche — e isso apesar das repetidas sugestões (por exemplo de Carl Jung) para que o fizesse —, como podia estar "claro" para ele que lá "encontraria" suas próprias descobertas? Seja como for, o fato incontornável é que Freud jamais deu a menor sombra de reconhecimento público do seu enorme débito intelectual com relação a Nietzsche.

110 "*Sísifo feliz*": Camus, *Mito de Sísifo*, p. 152.

111 "*solitária, pobre, imunda*": Hobbes, *Leviathan*, p. 82.

111 voice/exit: O protesto (voz) ou o abandono (saída), por meio de fuga ou emigração, como estratégias alternativas de reação a uma situação percebida como adversa; a fórmula foi sugerida originalmente por Albert Hirschman.

113 "*ignorância feliz*": Rousseau, *Discourse*, p. 14. Sobre a idéia de que a civilização era um erro ou equívoco, ver Bury, *Idea of progress*, capítulo 9.

114 *raízes profundas na filosofia grega e romana*: As origens, variações e percalços do primitivismo no mundo clássico foram exaustivamente mapeadas por Lovejoy e Boas em *Primitivism and related ideas in Antiquity*. A idealização do homem primitivo e a noção do "bom selvagem" têm raízes na *Teogonia* de Hesíodo e na filosofia política platônica (ver Dodds, "Ancient concept of progress").

114 "*Naquele tempo, era a fome*": Lucrécio, *De rerum natura*, linhas 1006-10, p. 219.

115 "*os nossos pensamentos são nossos*": Shakespeare, *Hamlet*, ato 3, cena 2, linha 208, p. 300.

115 "*a capacidade para o prazer*": Edgeworth, *Mathematical psychics*, p. 77.

118 "*às vezes é preferível*": Frase atribuída a Keynes.

119 *comportamento animal*: Os dois exemplos a seguir foram extraídos de Singer, *How are we to live?*, pp. 235-6.

119 "*quando as necessidades prementes*": A passagem ocorre na *Metafísica* (928b) de Aristóteles e foi citada ou parafraseada por Hegel, entre outros, em pelo menos três oportunidades (ver, por exemplo, *Philosophy of history*, p. 80).

120 *Segundo estimativas das Nações Unidas*: Os valores foram estimados pela Agência de Controle de Entorpecentes e Prevenção do Crime da ONU (ver Davenport-Hines, *The pursuit of oblivion*, p. 9, e o estudo especial da *Economist*, "High time: a survey of illegal drugs", p. 3).

121 "*No mundo antigo*": Freud, "Acquisition of fire", p. 189. O fato de o fígado, no mito prometéico, ser devorado e renovado todos os dias, assinala Freud, "dá-nos uma imagem apta da atuação dos desejos eróticos os quais, ainda que diariamente saciados, todos os dias se renovam" (p. 190). Em *Society and nature* (pp. 123-8), Hans Kelsen reconstrói a ramificada genealogia de mitos pré-modernos em torno da temática da conquista do fogo e da origem da cultura.

122 "*Os seguidores de Epimeteu*": Bacon, "Prometheus, or the state of man", pp. 253-4.

124 "*a gratificação ulterior de um desejo pré-histórico*": Freud, citado por Norman Brown, *Life against death*, p. 254. Sobre a relação entre dinheiro e felicidade, Schopenhauer afirma: "O dinheiro é a felicidade humana *in abstracto*; conseqüentemente, aquele que não é mais capaz da felicidade *in concreto* coloca todo o seu coração no dinheiro" (*Essays*, p. 170).

124 "*referiam-se aos mexicanos*": Russell, *Human society in ethics and politics*, p. 55.

125 "*a alegria é a prova dos nove*": Oswald de Andrade, "Manifesto antropófago", p. 18.

125 *O "canibal" de Montaigne*: No ensaio "Dos canibais", baseado em relatos de viajantes europeus sobre os tupis sul-americanos, Montaigne contrasta a felicidade dos índios com a corrupção dos civilizados europeus: "Passam o dia a dançar; os jovens vão à caça de animais grandes contra os quais empregam o arco unicamente. Enquanto isso, uma parte das mulheres diverte-se com preparar a bebida, o que constitui sua principal ocupação [...] Não entram em conflito a fim de conquistar novos territórios, porquanto gozam ainda de uma abundância natural que sem trabalhos nem fadigas lhes fornece tudo de que necessitam [...] Têm ademais a felicidade de limitar seus desejos ao que exige a satisfação de suas necessidades naturais, tudo o que as excede lhes parecendo supérfluo" (pp. 107-8). O personagem Caliban de *The tempest* é a negação viva dessa imagem. É praticamente certo que Shakespeare leu o ensaio de Montaigne na tradução inglesa de John Florio, publicada em 1603.

125 "*Antes dos portugueses descobrirem o Brasil*": Oswald de Andrade, "Manifesto antropófago", p. 18.

125 "*São inúmeros aqui os exemplos*": Goethe, *Viagem à Itália*, p. 239.

125 "*Acima de tudo, é o que me parece*": Goethe, *Faust*, primeira parte, linhas 2158-67.

126 "*Como um cientista*": Embora acredite que tenha matado a charada de identificar o autor do texto que lhe foi remetido pelo amigo, Melo não foi capaz de localizar a fonte do depoimento de Robin Horton nele contido.

129 *ruas do outono londrino*: A experiência de Alex evoca os versos de William Blake em "London": "Vagueio por cada rua mapeada,/ Perto do Tâmisa e sua correnteza,/ E noto em cada face encon-

trada/ Marcas de pesar, marcas de fraqueza" (*Complete poems*, p. 128).

130 *"alma infantil" do escravo*: Joaquim Nabuco, *Minha formação*, p. 163. O CD chama-se *Noites do norte*. Ao defender a tese de que a escravidão no Brasil "não azedou nunca a alma do escravo", nem suscitou "o ódio recíproco que existe naturalmente entre opressores e oprimidos", Nabuco citou um trecho do discurso feito pelo historiador inglês Thomas Macaulay, na Câmara dos Comuns, em 1845: "Eu não julgo improvável que a população preta do Brasil seja livre e feliz dentro de oitenta ou cem anos. Não vejo porém perspectiva razoável de igual mudança nos Estados Unidos" ("O abolicionismo", p. 114).

131 *"Creio que há um limite na civilização"*: Diderot, citado por Bury em *Idea of progress*, p. 184. A idéia de um equilíbrio que não "mutile" o caráter e respeite os limites da natureza humana reaparece, defendida pelo homem comum (o sobrinho de Rameau do título da obra), em Diderot, *Rameau's nephew*, pp. 68-70.

131 *"não se pode sustentar"*: Knight, *Ethics of competition*, p. 24.

132 *"Serão os povos"*: Keynes, "Economic possibilities for our grandchildren", p. 368. Um pequeno parêntese aberto por Nietzsche em *A gaia ciência*, § 21, parece ter sido especialmente talhado com o intuito de antecipar ironicamente, com meio século de antecedência, o ensaio de Keynes: "A mais diligente das épocas — a nossa — não sabe o que fazer com sua diligência e seu dinheiro, exceto cada vez mais dinheiro e mais diligência: é preciso mais gênio para gastar do que para adquirir! — Bem, nós teremos os nossos 'netos'!" (p. 71).

134 *Cada cultura, em suma, incorpora um sonho*: A idéia de que "cada nação tem em si mesma o seu centro de felicidade, assim como cada esfera o seu centro de gravidade" e de que, portanto, é sempre enganoso tentar alinhá-las num mesmo eixo histórico, seja em termos de felicidade ou de grau de civilização alcançado, foi defendida no final do século XVIII pelo filósofo alemão Herder, em amarga polêmica com Kant (ver Passmore, *Perfectibility*, pp. 221-8).

135 *Nada se revelou mais devastador*: Adaptado de uma resposta de Isaiah Berlin em *Conversations*, p. 47.

137 *A tevê a cabo chegou ao Butão*: Conforme relato do jornalista Orville Schell em "Gross national happiness". O título do artigo faz referência à declaração do rei do Butão de que "a felicidade nacional bruta é mais importante que o produto nacional bruto", tendo

em vista que "a felicidade tem precedência sobre a prosperidade em nosso processo de desenvolvimento" (p. 54).

138 *Uma pesquisa realizada nos Estados Unidos*: O trabalho foi coordenado pelo sociólogo americano Robert Wuthnow, da Universidade de Princeton, e os resultados discutidos em "A good life and a good society: the debate over materialism" (pp.1-21).

138 "*in God we trust*": A inscrição foi inicialmente gravada em algumas moedas americanas em 1864 e tornou-se obrigatória para todas as notas e moedas daquele país a partir de 1955.

138 *As pesquisas mostram*: Ver Graham e Pettinato, *Happiness and hardship*, p. 24.

140 "*Você pode expelir a natureza*": Horácio, *Epistles*, livro 1.x, p. 150. Para uma analogia (ainda que um pouco distinta da oferecida por Leila no texto de abertura) entre o que seriam no fundo duas modalidades relacionadas de poluição, ou seja, a do ambiente externo/físico e a do interno/psicossocial, ver a nota da p. 210 ("a única lei que os narcotraficantes não violam") abaixo.

QUARTO ENCONTRO: A PÍLULA DA FELICIDADE INSTANTÂNEA [pp. 143-80]

143 "*Eu penso que poderia volver*": Whitman, "Song of myself", linhas 685-92, pp. 94-5. A passagem foi utilizada como epígrafe por Bertrand Russell em *Conquest of happiness*. Sobre as origens e variações da tese da superioridade dos animais em relação ao homem no pensamento greco-romano, ver Lovejoy e Boas, *Primitivism*, capítulo 13. No mundo moderno, a tese ganhou força com a ascensão do movimento romântico — "o sinal da saúde é a inconsciência, a verdadeira força é inconsciente", pregava Thomas Carlyle —, mas não ficou restrita a ele. O jovem Nietzsche, por exemplo, abre a sua meditação extemporânea sobre os males do excesso de memória e da hiperconsciência histórica contemplando a suposta felicidade dos animais: "Se a felicidade, se a busca por uma nova felicidade é, em qualquer sentido, o que amarra as criaturas vivas à vida e as faz continuar vivendo, então nenhum filósofo talvez esteja mais jusificado que o cínico, pois a felicidade do animal, como um perfeito cínico, é a prova viva da correção da filosofia cínica" (*Untimely meditations*, p. 61; a idéia da felicidade animal reaparece em *Gaia ciência*, § 224, pp. 176-7). Norman Brown, um dos principais gurus da contracultura dos anos 60, foi mais longe

ainda ao propor um "novo misticismo" que buscasse encontrar "uma saída da neurose humana, rumo àquela saúde simples que os animais desfrutam, mas o homem não" (*Life against death*, p. 311).

144 *uma "viagem" cotidiana*: O psiquiatra americano Allan Hobson, professor da Harvard Medical School, sugere a existência de um estreito paralelo entre o efeito bioquímico de certas drogas alucinógenas, como o LSD, e o que ocorre naturalmente no cérebro humano durante a chamada fase REM ("rapid eye movement") do sono, ou seja, aquela em que ocorre a experiência alucinatória do sonho: "O sonhar, os estados de consciência produzidos por drogas psicodélicas e o criar artístico não são idênticos [do ponto de vista da bioquímica cerebral], mas são análogos" (p. 285). Daí o sugestivo título de seu recente livro, *The dream drugstore* (A farmácia do sonho). A idéia do sonho como janela de acesso aos estratos profundos da mente e ao homem subterrâneo que nos habita em segredo aparece já em Platão: "Em cada um de nós, mesmo naqueles que parecem mais comedidos, existem desejos terríveis por seu caráter selvagem e sem leis, e que se deixam revelar pelos sonhos" (*Republic*, 572b, p. 290). O processo civilizatório modifica o sonhar humano? Nietzsche sugere que sim. "Nossa imaginação é temperada; mesmo em sonhos não nos acontece o que povos anteriores viam de olhos abertos" (*Humano, demasiado humano*, § 236, p. 164).

146 "*a vida é uma doença incurável*": Cowley, citado por Davenport-Hines, *Pursuit of oblivion*, p. 27.

146 *ideograma específico*: Conforme Davenport-Hines, *Pursuit of oblivion*, p. 8.

147 *A poção de Helena de Tróia*: Ver Erasmo de Rotterdam, *Elogio da loucura*, p. 5, e Davenport-Hines, *Pursuit of oblivion*, pp. 8-9.

148 *o segredo da "alegria solúvel em sangue"*: Atribuído a Francis Bacon, sem indicação de fonte, por: Quincey, *Confessions*, p. 228, e Davenport-Hines, *Pursuit of oblivion*, p. 27 (ver a observação de Melo na p. 153).

148 "*O que hoje está provado*": Blake, "Proverbs of hell", p. 184.

148 "*Impossível?*": Citado por Marx em *O capital*: "A tecnologia moderna pode exclamar com Mirabeau: '*Impossible! ne me dites jamais ce bête de mot!*'" (p. 547).

149 *levar o usuário a ficar "mais do que bem"*: Sobre a evolução recente dos antidepressivos, as frustrações com os resultados até aqui alcan-

çados e a demanda explosiva por drogas ofensivas ("psicofarmacologia cosmética"), ver Horgan, *A mente desconhecida*, pp. 144-52.

150 *efeito estritamente* psíquico: Assim como existem pessoas que têm sensações e sentem dor em membros-fantasma, há casos documentados de indivíduos que são congenitamente insensitivos à dor. Um dos graves problemas dessa síndrome é que o sujeito fica privado do mecanismo de defesa comportamental acionado pela sensação de dor ou desconforto. Assim, por exemplo, ao colocar a mão no fogo ele não se dá conta do dano que isso provoca ao tecido celular e sofre queimaduras de elevado grau. No artigo "Is pain necessary?", o filósofo Roland Puccetti aborda esses casos e analisa, à luz de diferentes teorias acerca da relação cérebro-mente, a possibilidade de alguém ter reações defensivas análogas às acionadas pelo mecanismo da dor, mas sem a experiência subjetiva da dor. Embora logicamente concebível, ele argumenta, trata-se de uma possibilidade distante da nossa experiência e da realidade comum da vida. Na conjectura da pílula, o indivíduo preserva integralmente os mecanismos de defesa do organismo associados ao circuito da dor. A exuberância do seu bem-estar não compromete a sua capacidade de prevenir e reagir adequadamente às ameaças que põem em risco a integridade do seu organismo.

151 "*a felicidade consiste em querer ser o que se é*": Marcial, *Epigramas*, citado por Erasmo, *Elogio da loucura*, p. 21. Ou como dirá Antonio Cicero na expressão feliz do poema "Felicidade": "Felicidade é esse acaso que te fez o que és" (*Guardar*, p. 55).

154 "*making myrrh soluble*": Ver p. 205, nota 148 acima.

154 "*a melhor forma de destruir*": Keynes atribuiu essa afirmação a Lênin em *Economic consequences of peace*, p. 220.

155 "*a média das referências modernas*": Relatado por Stigler em *Memoirs*, p. 214. George Stigler foi aluno de Viner e mais tarde veio a sucedê-lo como professor de história do pensamento econômico na Universidade de Chicago.

155 "*as discussões entre filósofos*": Koyré, *Closed world*, p. 246.

155 *lei da utilidade marginal decrescente*: Uma lei psicológica de base fisiológica segundo a qual o grau de satisfação proporcionado por um bem ou estímulo decresce à medida que unidades adicionais dele são aplicadas aos sentidos. A lei das variações da utilidade tornou-se o pilar da teoria econômica do valor a partir da chamada "revolução marginalista" de 1871 (ver Jevons, *Theory of political economy*, especialmente o capítulo 3). A observação do fenô-

meno remonta a Aristóteles. Por que nada é capaz de proporcionar prazer continuamente? Por que nos enfastiamos com as coisas? A razão, sugere Aristóteles, é que o prazer depende da atividade que o produz e os homens mortais "são incapazes de atividade contínua": "Algumas coisas nos deliciam enquanto são novas, mas depois menos, pela mesma razão; pois de início a mente se encontra estimulada e intensamente ativa, como ficam as pessoas com relação à visão quando miram algo fixamente; depois, no entanto, a atividade não permanece assim, mas esmorece; por esta razão, o prazer também se empana" (*Ética*, 1175a, pp. 256-7). O sofrimento e a dor, porém, em contraste com o prazer, parecem menos sujeitos ao empanamento, como assinala Freud: "Quando qualquer situação desejada pelo princípio do prazer se prolonga, ela produz tão-somente um sentimento de contentamento muito tênue. Somos feitos de modo a só podermos derivar prazer intenso de um contraste, e muito pouco de um determinado estado de coisas. [...] Já a infelicidade é muito menos difícil de experimentar" (*Mal-estar na civilização*, p. 33).

156 *cientistas que estudam a neurofisiologia*: As informações sobre esta linha de pesquisa e os experimentos descritos a seguir são apresentados e discutidos por: Hoebel et al., "Neural systems for reinforcement and inhibition of behavior", pp. 561-3; e Young, *Philosophy and the brain*, pp. 178-80.

157 *não é uma fatalidade inescapável*: Essa possibilidade foi aventada por Gunther Stent, biólogo da Universidade da Califórnia em Berkeley. Em *The coming of the golden age*, ele sugere que avanços na neurotecnologia podem tornar realidade o sonho da droga perfeita. O caminho seria "direcionar entradas elétricas específicas para dentro do nosso cérebro. Então seria possível fazer com que essas entradas gerassem sinteticamente sensações, sentimentos, emoções [...] Os homens mortais em breve viverão como deuses, sem tristezas no coração e afastados da dor, desde que a instalação elétrica de seus centros de prazer seja apropriada" (citado em Horgan, *O fim da ciência*, pp. 235-6). O economista Yew-Kwang Ng, da Universidade Chinesa de Hong Kong, revela um entusiasmo incontido por essa possibilidade: "Existe uma linha específica de pesquisa que levará a saltos quânticos em nossa felicidade e que permanece largamente ignorada. Trata-se da estimulação dos centros de prazer no cérebro [...] A estimulação magnética, química e elétrica de certas áreas do nosso cérebro induz prazer intenso e

oblitera a dor física e emocional sem a diminuição da utilidade marginal, na medida em que a estimulação passa ao largo do sistema nervoso periférico [...] A possibilidade de prazer intenso sem utilidade marginal decrescente abre uma tremenda avenida para aumentar o nosso bem-estar por meio de um salto quântico" ("A case for happiness", p. 1849). Pouco antes de morrer, Freud contemplou o potencial de avanço da psicofarmacologia: "O futuro talvez nos ensine a exercer influência direta [sobre a mente] por meio de substâncias químicas específicas" (citado em Horgan, *A mente desconhecida*, p. 144). Ver também Nozick, "Happiness", p. 107.

158 "*experimento mental*": O emprego da técnica dos experimentos mentais na ciência moderna e na filosofia foi exaustivamente examinado e criticamente avaliado por Roy Sorensen em *Thought experiments*. Embora elaborada independentemente, a idéia da pílula da felicidade guarda certa semelhança com a conjectura de Nozick ("Happiness", pp. 104-8) de uma máquina à qual pudéssemos nos conectar de modo a obter qualquer experiência (ou seqüência de experiências) subjetiva que desejássemos vivenciar, sem que para isso fosse necessário viver de fato aquela situação. A diferença crucial, no entanto, é que no experimento mental de Nozick, em contraste com a pílula, é preciso optar *de uma vez por todas*, ou seja, para o resto da vida, entre mergulhar na pseudorealidade da máquina ou não. A máquina de Nozick é, portanto, um caso particular da pílula — uma situação-limite na qual não há espaço para o surgimento (ou não) de um novo equilíbrio baseado no uso intermitente da mesma.

159 *Nietzsche dizia*: "Nós criticamos um homem ou uma obra da forma mais aguda quando delineamos o seu ideal" (*Human, all too human*, vol. 2, § 157, p. 248).

160 "*a História não é o palco da felicidade*": Hegel, *Philosophy of history*, p. 26.

162 "*Se nós pudéssemos deliberadamente*": Minsky, "Self-knowledge is dangerous", citado por Horgan em *O fim da ciência*, p. 343, nota 23.

163 "*Existem duas tragédias na vida*": Shaw, citado por Hirschman (sem referência à fonte) em *Shifting involvements*, p. 61.

163 "*Um homem que, com uma colher de doce*": Baudelaire, *Paraísos artificiais*, p. 365.

163 "*Cada homem*", ele refletiu, "traz em si a sua dose": Baudelaire, *Pequenos poemas em prosa*, p. 297. A luta do poeta para se libertar da

dependência às drogas é narrada por Enid Starkie em Baudelaire, pp. 378-81.

164 *Quem sabe até ele já não foi escrito?*: A especulação em torno da existência de uma relação entre criatividade e estados depressivos remonta a Aristóteles, que em *Problemata* (livro 30, 953a) indaga: "Por que é que todos aqueles que se tornaram eminentes em filosofia ou política ou poesia ou nas artes são claramente de um temperamento melancólico, e alguns deles em tamanho grau a ponto de serem afetados por doenças causadas pela bílis negra, como se diz ter sucedido a Hércules entre os heróis?" (*O homem de gênio e a melancolia*, p. 81). Os gregos acreditavam que a bílis negra era responsável pelos humores depressivos (daí a etimologia de *melancolia*: grego *melas*: preto + *khole*: bílis). Ver também o verbete "criatividade" do *Oxford companion to mind*, que dá como exemplo a depressão vivida pelo poeta alemão Rainer Maria Rilke em meio à composição de *Elegias do Diúno*. Após quase uma década de interrupção da obra, o poeta subitamente se recuperou e escreveu cerca de 1200 versos extremamente polidos e densos em dezoito dias de trabalho: "A prolongada depressão de Rilke pode ter sido necessária para o extraordinário surto de trabalho não apenas criativo, mas altamente disciplinado, que se seguiu a ela" (p. 171).

164 *Um dos casos que mais me chamaram a atenção recentemente foi o de Weber*: O episódio foi descrito com riqueza de detalhes na biografia escrita pela esposa do sociólogo, Marianne Weber (*Weber*, capítulos 8 a 12).

166 "*O desperdício de tempo*": Weber, *Protestant ethic*, p. 157.

166 time famine *e* hurry sickness: Ver o artigo de Richard Tomkins, "Old father time becomes a terror".

167 Admirável mundo novo: O nome dado por Huxley à droga do contentamento de sua ficção científica não foi gratuito. *Soma* é o nome de um antigo deus Veda ("o Baco hindu") e também de uma bebida fermentada sagrada que teria a propriedade de curar todos os males e conferir vitalidade, coragem na guerra, inspiração e imortalidade a quem a tomasse; bebê-la permitiria aos homens "sentir a divindade dentro das veias" (ver *Dictionary of Non-Classical Mythology*, pp. 161-2). A especulação sobre o uso de drogas como arma de controle político aparece já em Platão. Em *Leis*, uma obra mais amarga da maturidade, Platão sugere que uma bebida que, em contraste com o vinho, fosse capaz de provocar me-

do ou confiança nos cidadãos, mas sempre de acordo com as necessidades de um sábio legislador, seria recebida como uma dádiva para a arte do bom governo (ver *Leis*, livro 1, 648-9, pp. 25-7).

168 "*Quando estamos nos degraus mais baixos*": O poema foi usado como epígrafe por Katherine Rich em *The red devil.* O tema é recorrente na obra de Dostoievski: "O homem nunca se aproxima tanto de Deus como na extremidade do desespero" (Gide, *Dostoevsky*, pp. 144 e 150).

170 *princípio lockiano da autopropriedade*: Como observa Viner, quando Locke afirma que a origem e a principal função do governo civil estão ligadas à necessidade de resguardar os direitos de propriedade do cidadão, ele tem em mente não só os bens externos que são transacionáveis no mercado, mas — e principalmente — a propriedade que todo indivíduo tem de sua vida, seu corpo e suas faculdades mentais (ver "Possessive individualism", pp. 361-70).

171 *A "guerra às drogas"*: Sobre o fracasso da estratégia da simples repressão policial e as alternativas a essa política, ver: Waal, "To legalize or not to legalize"; Davenport-Hines, *Pursuit of oblivion*, especialmente capítulos 13 e 14; e *Economist*, "High time", pp. 12-6. De acordo com Waal, "o uso crescente de substâncias psicoativas que induzem à dependência é uma forma de poluição do ambiente psicossocial que precisa ser combatida da mesma maneira que a poluição do ambiente físico" (p. 167). Para o economista Tibor Scitovski, "a posteridade poderá julgar as nossas leis sobre narcóticos de um modo não muito distinto daquele pelo qual julgamos a lei seca norte-americana [Prohibition] hoje em dia" (*Joyless economy*, p. 217).

171 "*a única lei que os narcotraficantes não violam*": Virgilio Barco Vargas, citado por Davenport-Hines, *Pursuit of oblivion*, p. 338.

171 "*O caminho do excesso*" *e* "*Você nunca saberá o que é suficiente*": Blake, "Proverbs of hell", pp. 183 e 184.

174 "*quanto mais os homens se erguerem*": Ver a nota da p. 186 ("quanto mais os homens se erguerem") acima.

174 "*os últimos vestígios de sua animalidade*": Engels, *Dialectics of nature*, p. 19. Sobre as expectativas em relação à natureza humana no socialismo, ver também: Prenant, *Biology and marxism*, pp. 44-52; e o capítulo intitulado "A biological foundation for socialism?" em Marcuse, *An essay on liberation.*

174 "*uma preferência marcante*": Mill, *Utilitarianism*, p. 12.

175 "*Toda emancipação do espírito*": Goethe, *Maxims*, § 504, p. 67. A posi-

ção de Goethe em relação ao uso (moderado) de drogas transparece na seguinte afirmação: "É uma exigência da natureza que o homem, de vez em quando, se anestesie sem dormir; daí o gosto de fumar tabaco, beber aguardente ou fumar ópio" (*Maxims*, § 99, p. 13).

176 "*No amor*", declara o romancista francês Stendhal, "eu tenho a sensação": Stendhal, *Do amor*, p. 76.

177 *Ela é uma* atividade: O *locus classicus* da idéia de felicidade como atividade, e não como um estado final, é a *Ética* (1176-7, pp. 261-2) de Aristóteles. Como observa Julia Annas, em sua minuciosa análise da concepção aristotélica de felicidade: "A felicidade é, portanto, pensada como ativa em vez de passiva, como algo que envolve a atividade do agente e que, dessa forma, e de acordo com o senso comum, depende dele. Este tipo de consideração desqualificaria a riqueza, por exemplo, de partida. A felicidade não pode ser alguma coisa, não importa quão boa, com que alguém o presenteasse. No mínimo ela envolve o que você faz com a riqueza, o tipo de uso para o qual você a destina" (*Morality of happiness*, p. 45). Sobre a idéia de felicidade como atividade, engajamento e busca, ver também: Blair, "On the proper estimate", p. 192; Paley, *Principles*, especialmente capítulo 6 ("Human happiness"), p. 37; Passmore, *Perfectibility*, p. 48; Singer, *How are we to live?*, pp. 252-3; Pinker, *Como a mente funciona*, p. 414; e Fogel, *Fourth great awakening*, pp. 204-5.

EPÍLOGO [pp. 181-4]

184 "*A vida que se vive*": Fernando Pessoa, *Livro do desassossego*, p. 251.

184 "*Autores são atores*": Wallace Stevens, *Opus posthumous*, p. 184.

BIBLIOGRAFIA

Agostinho, Santo. *Vida feliz* [De beata vita]. Trad. Nair de A. Oliveira. São Paulo, 1998.

Ainslie, G. *Picoeconomics*. Cambridge, 1992.

Alesina, A., Di Tella, R. e MacCulloch, R. "Inequality and happiness: are Europeans and Americans different?". *National Bureau of Economic Research*. Working Paper 8198, 2001.

Allardt, E. "Having, loving, being: an alternative to the Swedish model of welfare research". In *The quality of life*. Eds. M. Nussbaum e A. Sen. Oxford, 1993.

Annas, J. *The morality of happiness*. Oxford, 1993.

Argyle, M. "Causes and correlates of happiness". In *Well-being*. Eds. D. Kahneman et al. Nova York, 1999.

Aristóteles. *O homem de gênio e a melancolia* [Problemata, livro 30.1]. Trad. Alexei Bueno. Rio de Janeiro, 1998.

______. *The Nicomachean ethics* [Ética]. Trad. D. Ross. Oxford, 1925.

Arndt, H. W. *The rise and fall of economic growth*. Melbourne, 1978.

Arrow, K. "I know a hawk from a handsaw". In *Eminent economists*. Ed. M. Szenberg. Cambridge, 1992.

Bacon, F. *The advancement of learning*. Ed. A. Johnston. Oxford, 1974.

______. "Prometheus, or the state of man". In *The wisdom of the ancients*. Londres, 1854.

Baudelaire, C. "Paraísos artificiais, Meu coração a nu e Pequenos poemas em prosa". Trads. José Saramago, Fernando Guerreiro e Aurélio Buarque de Holanda. In *Poesia e prosa*. Ed. Ivo Barroso. Rio de Janeiro, 1995.

Becker, C. L. *The heavenly city of the eighteenth-century philosophers*. New Haven, 1932.

Bentham, J. *An introduction to the principles of morals and legislation.* Eds. J. H. Burns e H. L. A. Hart. Londres, 1982.

Berlin, I. *The roots of romanticism.* Ed. Henry Hardy. Londres, 1999.

______. "Historical inevitability" e "From hope and fear set free". In *The proper study of mankind.* Ed. H. Hardy e R. Hausheer. Londres, 1998.

______. *Conversations with Isaiah Berlin.* Ed. R. Jahanbegloo. Londres, 1992.

Blair, H. "On the proper estimate of human life". In *The Scottish enlightenment: an anthology.* Ed. A. Broadie. Edimburgo, 1997.

Blake, W. "Proverbs of hell" e "London". In *Complete poems.* Ed. A. Ostriker. Harmondsworth, 1977.

Bonar, J. *Philosophy and political economy in some of their historical relations.* Londres, 1922.

Brickman, P., Coates, D. e Janoff-Bulman, R. "Lottery winners and accident victims: is happiness relative?". *Journal of Personality and Social Psychology* 36(1978), 917-27.

Brown, N. *Life against death: the psychoanalytical meaning of history.* Middletown, Conn., 1959.

Burtt, E. A. *The metaphysical foundations of modern science.* Londres, 1932.

Bury, J. B. *The idea of progress: an inquiry into its origin and growth.* Londres, 1928.

Camus, A. *O mito de Sísifo: ensaio sobre o absurdo.* Trad. U. T. Rodrigues. Lisboa, s.d.

Casanova, J. *The memoirs of Casanova.* Ed. e trad. M. Boyd. Nova York, 1929.

Cicero, A. "Felicidade". In *Guardar.* Rio de Janeiro, 1996.

Condorcet, A.-N. de. *Sketch for a historical picture of the progress of the human mind.* Trad. J. Barraclough. Westport, Conn., 1955.

Cranston, M. *Philosophers and pamphleteers.* Oxford, 1986.

______. *John Locke.* Oxford, 1985.

Cross, G. *An all-consuming century: why commercialism won in modern America.* Nova York, 2000.

Daedalus. "The no-growth society", outono de 1973.

Dalai Lama [Tenzin Gyatso] e Cutler, H. C. *The art of happiness.* Nova York, 1998.

Darwin, C. *Early writings.* Ed. P. H. Barret. Chicago, 1974.

______. *On the origin of species.* Ed. E. Mayr. Cambridge, Mass., 1964.

Dasgupta, P. *An inquiry into well-being and destitution.* Oxford, 1993.

Davenport-Hines, R. *The pursuit of oblivion: a global history of narcotics 1500-2000.* Londres, 2001.

Dictionary of non-classical mythology. Eds. M. Edwardes e L. Spence. Londres, 1913.

Diderot, D. Supplement to "Bougainville's Voiyage" e "Histoire de deux Indes". In *Political writings*. Ed. e trad. J. H. Mason e R. Wokler. Cambridge, 1992.

______. *Rameau's nephew*. Trad. Leonard Tancock. Harmondsworth, 1966.

Diener, E. e Oishi, S. "Money and happiness: income and subjective well-being across nations". In *Culture and subjective well-being*. Eds. E. Diener e E. Suh. Cambridge, Mass., 2000.

Diener, E., Oishi, S. et al. "Subjective well-being: three decades of progress". *Psychological Bulletin* 125(1999), 276-302.

Diener, E., Oishi, S. e Suh, E. M. "National differences in subjective well-being". In *Well-being*. Eds. D. Kahneman et al. Nova York, 1999.

Dixon, H. D. "Controversy on economics and happiness: editorial note". *Economic Journal* 107(1997), 1812-14.

Dodds, "The ancient concept of progress". In *The ancient concept of progress*. Oxford, 1985.

Dostoievski, F. M. *Notes from the underground*. Trad. M. R. Katz. Nova York, 2001.

Dunning, D. e Story, A. "Depression, realism, and the overconfidence effect: are the sadder wiser when predicting future events?". *Journal of Personality and Social Psychology* 61(1991), 521-32.

Economist. "High time: a survey of illegal drugs", 28 jul. 2001, pp. 3-16.

______. "Granny knew best, maybe", 9 out. 1999, p. 52.

______. "Doing what comes naturally", 23 dez. 1996, p. 103.

Edgeworth, F. Y. *Mathematical psychics*. Londres, 1881.

Elster, J. *Alchemies of the mind: rationality and the emotions*. Cambridge, 1999.

Elster, J. e Roemer, J. "Introduction". In *Interpersonal comparisons of well-being*. Eds. J. Elster e J. Roemer. Cambridge, 1991.

Engels, F. *Dialectics of nature*. Trad. Clemens Dutt. Moscou, 1954.

Epicteto. *Encheiridion* [Manual]. In *Epictetus*, vol. 2. Trad. W. A. Oldfather. Cambridge, Mass., 1978.

Epicuro. *Sobre la felicidad*. Trad. Carlos G. Gual. Madri, 2000.

Erasmo de Rotterdam. *Elogio da loucura*. Trad. Maria E. G. G. Pereira. São Paulo, 1990.

Farrington, B. *The philosophy of Francis Bacon*. Liverpool, 1964.

Fisher, I. *The theory of interest*. Nova York, 1930.

Fogel, R. *The fourth great awakening and the future of egalitarianism*. Chicago, 2000.

Fontenelle, B. le B. de. *Nouveaux dialogues des morts.* Ed. J. Dagen. Paris, 1971.

Frank, R. "The frame of reference as a public good". *Economic Journal* 107(1997), 1832-47.

Freud, S. "The acquisition and control of fire". In *Complete psychological works*, vol. 22. Trad. James Strachey. Londres, 2001.

______. *O mal-estar na civilização.* Trad. José Octávio de Aguiar Abreu. Rio de Janeiro, 1974.

Frey, B. e Stutzer, A. *Happiness and economics.* Princeton, 2002.

Friedman, J. e McCabe, A. "Preferences or happiness?". *Critical Review* 10(1996), 471-80.

Gaukroger, S. *Francis Bacon and the transformation of early modern philosophy.* Cambridge, 2001.

Gay, P. *Freud.* Trad. Denise Bottmann. São Paulo, 1995.

______. *A paixão terna.* Trad. Sérgio Flaksman. São Paulo, 1990.

Gershuny, J. "Growth, social innovation and time use". In *The economics of human betterment.* Ed. K. E. Boulding. Londres, 1984.

Gide, A. *Dostoevsky.* Trad. A. Bennett. Londres, 1949.

Godwin, W. *Thoughts occasioned by the perusal of Dr. Parr's sermon.* Londres, 1801.

Goethe, J. W. von. *Viagem à Itália 1786-1788.* Trad. Sérgio Tellaroli. São Paulo, 1999.

______. *Maxims and reflexions.* Trad. E. Stopp. Harmondsworth, 1998.

______. *Faust.* Trad. W. Kaufmann. Nova York, 1961.

Graham, C. e Pettinato, S. *Happiness and hardship: opportunity and insecurity in new market economies.* Washington, D.C., 2002.

Griswold Jr., C. L. "Happiness, tranquility, and philosophy". *Critical Review* 10 (1996), 1-32.

Guyer, P. *Kant on freedom, law, and happiness.* Cambridge, 2000.

Habermas, J. "Modernity versus postmodernity". *New Left Critique*, 22 (1981), 38-57.

______. "Technology and science as 'ideology'". In *Toward a rational society.* Trad. J. J. Shapiro. Londres, 1971.

Harris, R. W. *Reason and nature in the eighteenth century.* Londres, 1968.

Hegel, G. W. F. *The philosophy of history.* Trad. J. Sibree. Nova York, 1956.

Heródoto. "The Persian wars". In *The Greek historians.* Ed. F. R. Godolphin e trad. G. Rawlinson. Nova York, 1942.

Himmelfarb, G. *The idea of poverty: England in the early industrial age.* Nova York, 1985.

Hirsch, F. *Social limits to growth.* Londres, 1977.

Hirschman, A. *Shifting involvements: private interest and public action.* Oxford, 1982.

Hobbes, T. *Leviathan.* Ed. M. Oakeshott. Oxford, 1955.

Hobson, J. A. *The dream drugstore: chemically altered states of consciousness.* Cambridge, Mass., 2001.

Hoebel, B., Rada, P., Mark, G. e Pothos, E. "Neural systems for reinforcement and inhibition of behavior: relevance to eating, addiction, and depression". In *Well-being.* Eds. D. Kahneman et al. Nova York, 1999.

Horácio. *Satires* e *Epistles.* Trad. Niall Rudd. Harmondsworth, 1979.

Horgan, J. *A mente desconhecida.* Trad. Laura Teixeira Motta. São Paulo, 2002.

______. *O fim da ciência.* Trad. Rosaura Eichemberg. São Paulo, 1998.

Hume, D. "The sceptic". In *Essays moral, political and literary.* Ed. E. F. Miller. Indianápolis, 1985.

______. *A treatise of human nature.* Ed. L. A. Selby-Bigge. Oxford, 1978.

Hutcheson, F. "An inquiry concerning the original of our ideas of virtue or moral good". In *Philosophical writings.* Ed. R. S. Downie. Londres, 1994.

Huxley, A. *Admirável mundo novo.* Trad. Lino Vallandro e Vidal Serrano. São Paulo, 2001.

Inglehart, R. "The diminishing utility of economic growth: from maximizing security toward maximizing subjective well-being". *Critical Review* 10(1996), 509-31.

Jacob, F. *O rato, a mosca e o homem.* Trad. Maria de M. Soares Guimarães. São Paulo, 1998.

Jevons, W. S. *The theory of political economy.* Londres, 1871.

Jones, E. *The life and work of Sigmund Freud.* Nova York, 1955.

Kahn, C. "Pre-Platonic ethics". In *Ethics.* Ed. Stephen Everson. Cambridge, 1998.

Kahneman, D., Diener, E. e Schwarz, N. "Preface" e "Objective happiness". In *Well-being.* Eds. D. Kahneman et al. Nova York, 1999.

______. "Notes on the psychology of utility". In *Interpersonal comparisons of well-being.* Eds. J. Elster e E. Roemer. Cambridge, 1991.

Kant, I. "Fundamentação da metafísica dos costumes". In *Os pensadores.* vol. 2. Trad. Paulo Quintela. São Paulo, 1980.

Kant, I. "Idea for a universal history with a cosmopolitan purpose". In *Kant's political writings*. Ed. H. Reiss e trad. H. B. Nisbet. Cambridge, 1970.

Kelsen, H. *Society and nature*. Londres, 1943.

Keynes, J. M. *The general theory of employment, interest and money*. Londres, 1973.

______. "The end of laissez-faire". In *Collected writings*. vol. 9. Ed. D. Moggridge. Londres, 1972.

______. "Economic possibilities for our grandchildren" e "Clissold". In *Essays in persuasion*. Nova York, 1963.

______. *The economic consequences of peace*. Londres, 1920.

Knight, F. H. "The limitations of scientific method in economics". In *Selected essays*. Ed. Ross B. Emmett. Chicago, 1999.

______. *The ethics of competition*. New Brunswick/New Jersey, 1997.

Koyré, A. *From the closed world to the infinite universe*. Baltimore, 1957.

Krugman, P. "Dinheiro não traz felicidade... ou traz?". *O Estado de S. Paulo*, 4/6/1999.

Kubovy, M. "On the pleasures of the mind". In *Well-being*. Eds. D. Kahneman et al. Nova York, 1999.

La Mettrie, J. O. de. *Machine man and other writings*. Trad. Ann Thomson. Cambridge, 1996.

La Rochefoucauld, duque de. *Maxims*. Trad. L. Tancock. Harmondsworth, 1967.

Lebrun, G. "Os dois Marcuse". In *Passeios ao léu*. Trad. Renato Janine Ribeiro. São Paulo, 1983.

Ling, Lieu. "Elogio del vino". In *Versiones y diversiones*. Trad. Octavio Paz. Barcelona, 2000.

Loewenstein, G. e Schkade. "Wouldn't it be nice? Predicting future feelings". In *Well-being*. Eds. D. Kahneman et al. Nova York, 1999.

Lovejoy, A. O. e Boas, G. *Primitivism and related ideas in antiquity*. Baltimore, 1935.

Luciano. *Saturnália*. Trad. K. Kilburn. Cambridge, Mass., 1959.

Lucrécio. *De rerum natura*. Trad. C. Bailey. Oxford, 1910.

Macaulay, T. B. "Lord Bacon". In *Essays*. Londres, 1920.

Maddison, A. *The world economy: a millenial perspective*. OECD, 2001.

Malebranche, N. *The search after truth*. Trad. T. Lennon e P. Olscamp. Columbus, 1980.

Marcuse, H. *Eros e civilização*. Trad. Álvaro Cabral. Rio de Janeiro, 1975.

______. *An essay on liberation*. Harmondsworth, 1969.

Marcuse, H. "On hedonism". In *Negations.* Trad. J. J. Shapiro. Boston, 1968.

Marshall, A. *Industry and trade.* Londres, 1919.

Marx, K. *O capital: crítica da economia política.* vol. 1. Trad. Reginaldo Sant'Anna. Rio de Janeiro, 1975.

______. *O 18 Brumário.* Trad. Leandro Konder. Rio de Janeiro, 1974.

______. "Discurso pronunciado na festa de aniversário do *People's Paper*". In *Textos.* vol. 3. São Paulo, s.d.

Mill, J. S. *Autobiography.* Ed. J. M. Robson. Harmondsworth, 1989.

______. *Collected works.* Ed. J. M. Robson. Toronto, 1963-78.

______. *Principles of political economy.* Ed. D. Winch. Harmondsworth, 1970.

______. *Nature and utilility of Religion.* Indianápolis, 1958.

______. *Utilitarianism.* Londres, 1891.

Mishan, E. J. "Not by economics alone". *The Salisbury Review* 4 (1983), 38-42.

______. *The costs of economic growth.* Harmondsworth, 1969.

Montaigne, M. de. "Dos canibais" e "Da experiência". In *Os pensadores.* Trad. Sérgio Milliet. São Paulo, 1972.

Mozart, W. A. *The man and the artist revealed in his own words.* Ed. F. Kerst e trad. H. Krehbiel. Nova York, 1965.

Nabuco, J. "O abolicionismo". In *Intérpretes do Brasil.* vol. 1. Ed. Silviano Santiago. Rio de Janeiro, 2000.

______. *Minha formação.* Rio de Janeiro, 1999.

Ng, Y.-K. "A case for happiness, cardinalism, and interpersonal comparability". *Economic Journal* 107(1997), 1848-58.

Nietzsche, F. *A gaia ciência.* Trad. Paulo César de Souza. São Paulo, 2001.

______. *Humano, demasiado humano.* Trad. Paulo César de Souza. São Paulo, 2000.

______. *Genealogia da moral: uma polêmica.* Trad. Paulo César de Souza. São Paulo, 1998.

______. *Human, all too human.* Trad. R. J. Hollingdale. Cambridge, 1986.

______. *Untimely meditations.* Trad. R. J. Hollingdale. Cambridge, 1983.

______. *Daybreak.* Trad. R. J. Hollingdale. Cambridge, 1982.

______. *The will to power.* Trads. W. Kaufmann e R. J. Hollingdale. Nova York, 1967.

Novalis [F. von Hardenberg]. *Pólen.* Trad. Rubens Rodrigues Torres Filho. São Paulo, 1988.

Nove, A. "The omnipotent planners". *Times Literary Supplement,* 23/9/1983.

Nozick, R. "Happiness". In *The examined life.* Nova York, 1989.

Oswald, A. J. "Happiness and economic performance". *Economic Journal* 107(1997), 1815-31.

Oswald de Andrade, José. "Manifesto antropófago". In *Obras completas.* vol. 6. Rio de Janeiro, 1978.
Oxford companion to the mind. Ed. R. L. Gregory. Oxford, 1987.

Paley, W. *The principles of moral and political philosophy.* Londres, 1814.
Parfit, D. *Reasons and persons.* Oxford, 1984.
Pascal, B. *Pensées.* Trad. A. J. Krailsheimer. Harmondsworth, 1966.
Passmore, J. *The perfectibility of man.* Londres, 1970.
Peirce, C. S. *Values in a universe of chance.* Ed. P. P. Wiener. Nova York, 1958.
Pessoa, F. *Livro do desassossego.* Org. R. Zenith. São Paulo, 1997.
______. *Obra poética.* Rio de Janeiro, 1976.
Petrônio. *Satyricon.* Trad. Sarah Ruden. Indianápolis, 2000.
Pinker, S. *Como a mente funciona.* Trad. Laura Teixeira Motta. São Paulo, 1998.
Platão. *Protágoras.* Trad. C. C. W. Taylor. Oxford, 1976.
______. *Republic* [República]. Trad. F. M. Cornford. Oxford, 1941.
______. *Laws* [Leis]. Trad. A. E. Taylor. Londres, 1934.
Popper, K. "Ciência: conjecturas e refutações". In *Conjecturas e refutações.* Brasília, 1972.
Prenant, M. *Biology and marxism.* Trad. C. D. Greaves. Londres, 1938.
Priestley, J. *An essay on the first principles of government.* Londres, 1771.
Puccetti, R. "Is pain necessary?" *Philosophy* 50(1975), 259-69.

Quincey, T. de. *Confessions of an English opium-eater.* Londres, 1907.

Rabin, M. "Psychology and economics". Universidade da Califórnia, Berkeley. mimeo., 1996.
Rich, K. R. *The red devil.* Londres, 1999.
Rothschild, E. *Economic sentiments: Adam Smith, Condorcet, and the enlightenment.* Cambridge, Mass., 2001.
Rousseau, J. J. "Discourse on the sciences and arts" e "Letter to Voltaire". In *The discourses and other early political writings.* Ed. e trad. Victor Gourevitch. Cambridge, 1997.
______. *Reveries of the solitary walker.* Trad. Peter France. Harmondsworth, 1979.
Russell, B. *Human society in ethics and politics.* Londres, 1954.
______. *The conquest of happiness.* Londres, 1930.
Ryan, A. *J. S. Mill.* Londres, 1974.

Sapolsky, R.M. "The physiology and pathophysiology of unhappiness". In *Well-being.* Eds. D. Kahneman et al. Nova York, 1999.

Schell, O. "Gross national happiness". *Red Herring*, fev. 2002.

Schmidt, A. *The concept of nature in Marx*. Trad. B. Fowkes. Londres, 1971.

Schopenhauer, A. "Parerga e paralipomena". In *Os pensadores*. Trad. Wolfgang Leo Maar. São Paulo, 1974.

______. *Essays and aphorisms*. Trad. R. J. Hollingdale. Harmondsworth, 1970.

______. *The world as will and representation*. Trad. E. Payne. Nova York, 1969.

Schumpeter, J. *History of economic analysis*. Ed. E. Schumpeter. Londres, 1954.

Schwarz, N. e Strack, F. "Reports of subjective well-being: judgmental processes and their methodological implications". In *Well-being*. Eds. D. Kahneman et al. Nova York, 1999.

Scitovski, T. *The joyless economy: the psychology of human satisfaction*. Oxford, 1992.

Sen, A. *Sobre ética e economia*. Trad. Laura Teixeira Motta. São Paulo, 1999.

______. "Rationality, joy and freedom". *Critical Review* 10(1996), 481-94.

Sêneca. *Sobre a tranqüilidade da alma* [Ad serenum de tranquillitate animi]. Trad. J. R. Seabra Filho. São Paulo, 1994.

Shakespeare, W. *Hamlet*. Ed. Harold Jenkins. Londres, 1982.

______. *The tempest*. Ed. Frank Kermode. Londres, 1964.

Singer, P. *How are we to live?* Oxford, 1997.

Smith, A. *Theory of moral sentiments*. Eds. D. D. Raphael e A. L. Macfie. Oxford, 1976.

______. *An inquiry into the nature and the causes of the wealth of nations*. Eds. R. H. Campbell e A. S. Skinner. Oxford, 1976.

Sorensen, R. A. *Thought experiments*. Oxford, 1992.

Starkie, E. *Baudelaire*. Norfolk, Conn., 1958.

Stendhal [Henry Beyle]. *Do amor*. Trad. Roberto Leal Ferreira. São Paulo, 1999.

Stevens, W. *Opus posthumous*. Ed. M. Bates. Nova York, 1990.

Stigler, G. *Memoirs of an unregulated economist*. Nova York, 1988.

Swift, J. *A tale of a tube and other satires*. Ed. K. Williams. Londres, 1975.

Tomkins, R. "Old father time becomes a terror". *Financial Times*, 21/11/1999.

Trotsky, L. *Literatura e revolução*. Trad. Moniz Bandeira. Rio de Janeiro, 1969.

Vargas Llosa, M. "O canto das sereias". *O Estado de S. Paulo*, 14/7/1996.

Vieira, padre Antônio. *Sermões*, vol. 1. Ed. Alcir Pécora. São Paulo, 2001.

Viner, J. "Bentham and J. S. Mill: the utilitarian background" e "'Possessive individualism' as original sin". In *Essays on the intellectual history of economics.* Ed. D. A. Irwin. Princeton, 1991.

______. *The role of providence in the social order.* Filadélfia, 1972.

Waal, H. "To legalize or not to legalize: is that the question?" In *Getting hooked: rationality and addiction.* Eds. J. Elster e Ole-Jorgen Skog. Cambridge, 1999.

Wasianski, K. "The last days of Kant". In *Last days of Immannuel Kant.* Trad. T. de Quincey. Edimburgo, 1867.

Weber, Marianne. *Max Weber: a biography.* Trad. Harry Zohn. New Brunswick/New Jersey, 1988.

Weber, Max. *The protestant ethic and the spirit of capitalism.* Trad. Talcott Parsons. Londres, 1992.

Whitehead, A. *Science and the modern world.* Nova York, 1928.

Whitman, W. "Song of myself". In *Complete poems.* Ed. F. Murphy. Harmondsworth, 1975.

Willey, B. *The eighteenth-century background.* Londres, 1965.

Winch, D. "Higher maxims: happiness versus wealth in Malthus and Ricardo". In *That noble science of politics.* Eds. S. Collini, D. Winch e J. Burrow. Cambridge, 1983.

______. *Adam Smith's politics.* Cambridge, 1978.

Wolf, M. "The view from the limousine". *Financial Times,* 7/11/2001.

Wright, R. "Will globalization make you happy?". *Foreign Policy,* set. 2000.

Wuthnow, R. "A good life and a good society: the debate over materialism". In *Rethinking materialism: perspectives on the spiritual dimension of economic behavior.* Ed. R. Wuthnow. Grand Rapids, Michigan, 1995.

Young, J. Z. *Philosophy and the brain.* Oxford, 1986.

Zoja, L. *Growth and guilt.* Trad. H. Martin. Londres, 1995.

ÍNDICE REMISSIVO

ESTA OBRA FOI COMPOSTA PELO GRUPO DE CRIAÇÃO EM NEW BASKERVILLE E COURIER, TEVE SEUS FILMES GERADOS PELO BUREAU 34 E FOI IMPRESSA PELA BARTIRA EM OFSETE SOBRE PAPEL PÓLEN BOLD DA COMPANHIA SUZANO PARA A EDITORA SCHWARCZ EM OUTUBRO DE 2002